La maison
des quatre saisons

Kristin Perers

La maison
des quatre saisons

Photographies de James Merrell

Collection "ARTS D'INTÉRIEURS"

SOLAR

*À mon père et à ma mère, dont la maison
était si pleine d'amour qu'elle m'a donné
la liberté de prendre mon envol.*

Publié pour la première fois en 1998 en Grande-Bretagne
sous le titre « The Seasonal Home » par Ryland Peters & Small
Cavendish House, 51-55 Mortimer Street, Londres WIN 7TD

Les éditeurs sont très reconnaissants pour l'autorisation qui leur
a été donnée de reproduire des extraits des livres suivants :
p. 8, *The Prophet* de Kahlil Gibran, Borzoi Books/Alfred A. Knopf,
© Kahlil Gibran 1923, 1951 (renouvelé par
Administrators C.T.A. of Kahlil Gibran Estate and Mary G. Gibran) ;
pp. 12 à 14, *Shelter for the Spirit* de Victoria Moran,
HarperCollins*Publishers*, © 1997 Victoria Moran.

Si vous souhaitez recevoir notre catalogue et être
tenu au courant de nos publications, envoyez-nous
vos nom et adresse en citant ce livre et en précisant
les domaines qui vous intéressent.

SOLAR/Arts d'intérieurs
12, avenue d'Italie, 75013 Paris

ISBN : 2-263-03041-7
Code éditeur : S03041
Dépôt légal : octobre 2000
1re édition

Conception graphique : Mark Latter et Vicky Holmes
Stylisme et illustrations : Kristin Perers
Direction artistique : Jacqui Small

Imprimé et relié en Chine par Toppan Printing Co.
Achevé d'imprimer en août 2000

Sommaire

Inspirations

« Une maison ne doit pas être une ancre mais un mât. »

Kahlil Gibran

Chaque saison est porteuse d'une atmosphère différente. La qualité de l'air et de la lumière se modifie ; l'été nous incite à rechercher la fraîcheur, alors que l'hiver nous donne des envies de confort douillet. La vie moderne nous fait oublier le rythme inéluctable des saisons, particulièrement en ville. De nos jours, l'électricité permet de travailler toute la nuit, le chauffage et l'air conditionné règlent en permanence la température ambiante. Ces commodités facilitent bien entendu l'existence, mais risquent également de nous priver de quelque chose d'essentiel. Si nous n'y prenons pas garde, nous pourrions perdre le sens de l'harmonie et de l'équilibre que nous offre la nature. Elle possède un rythme propre, que rien ne peut accélérer car elle doit en partie sa beauté au processus du temps. Que sont les saisons si ce n'est un jeu de contrastes ? La liberté de l'été compense l'hibernation de l'hiver. Chaud et froid

Le charme des jours

ont tous deux leur place ; l'ombre et l'obscurité nous font apprécier d'autant plus les jours qui allongent. C'est d'avoir attendu patiemment qu'elles mûrissent qui rend les premières fraises si savoureuses. Pourquoi est-ce toujours au printemps que nous ressentons le besoin d'ouvrir les fenêtres et de nettoyer la maison de fond en comble ? C'est en réaction aux mois où le froid nous a gardés reclus. En été, nous nous détendons et partons en vacances, au moins par l'esprit. En automne, nous mettons de l'ordre et essayons d'achever les tâches en cours. Avec l'hiver vient le temps de l'introspection. Le changement est la seule constante : appliquez ce précepte à votre vie, dans votre intérieur, et profitez des merveilles de chaque jour. Une maison est vivante si elle fait écho à son environnement, que ce soit sous la forme de petits gestes ou d'un décor plus spectaculaire. Quelques détails qui suggèrent la saison suffisent à changer l'atmosphère d'une pièce, et à vous mettre au diapason du rythme naturel de la terre.

créez des natures mortes

C'est en marchant que me vient la plupart de mon inspiration. Que ce soit dans un parc urbain, dans une clairière ou au bord de la plage, je suis attentive aux images, aux sons, aux parfums, aux textures de chaque saison et, au cours de ma promenade, je recueille toujours quelque trésor que j'emporte chez moi comme des souvenirs de la nature. Il en résulte une exposition sans cesse renouvelée, dont on profite un temps, puis qui se modifie et se reconstitue au fil des saisons. Votre maison est un canevas vierge. Il est amusant de décorer tables et buffets de natures mortes créées avec vos trouvailles préférées – quelques brindilles ramassées à la campagne lors de l'excursion du dimanche précédent, ou une cruche toute simple emplie de pois de senteur du jardin – et de prolonger ainsi le plaisir de vos randonnées à l'extérieur.

cinq facteurs de l'environnement
influencent notre bien-être :

la lumière

les sons

les parfums

les couleurs

les matières

Je crois profondément au pouvoir de la beauté. Elle est capable d'inspirer, d'apaiser et d'éveiller les sens. Si certains minimisent l'importance d'un joli bouquet de fleurs, je sais à quel point mon cœur y est sensible. La beauté est un cadeau offert par la nature. Un parfum suffit à faire resurgir un souvenir depuis longtemps oublié. La caresse du soleil sur la peau chasse tous les soucis accumulés durant l'hiver. Sachez employer la puissance de votre environnement de façon positive.

la nature est riche de diversités

« Découvrez de la magie
au sein de l'ordinaire,
et vous réaliserez que
l'ordinaire avait toujours
été extraordinaire. »

Victoria Moran, Shelter for the Spirit

« L'été perturbe par son excès de chaleur et d'activité. L'automne est la saison de l'ordre, l'hiver celle de la tradition. Au printemps, c'est la croissance. Rosiers, fleurs et herbes réclament mes soins. En renouvelant mon intérieur, je me renouvelle également. »

Toni, Shelter for the Spirit

laissez pénétrer l'influence de la nature dans votre intérieur

Les jardins et les marchés de primeurs sont de grandes sources d'inspiration. Adoptez les couleurs revêtues par la nature à chaque saison. Observez comment l'atmosphère d'une pièce se modifie dès que les hortensias de l'automne succèdent dans les vases aux marguerites estivales. Cette variation invite à mettre de côté les étoffes fraîches de l'été, à jeter

un seul galet suffit
à évoquer toute la plage

un beau châle de cachemire sur le canapé, et à rapprocher les meubles de la cheminée. Un changement en entraîne un autre. Savourez le plaisir de ramener chez vous une brassée de tournesols et les premières fraises de la saison ; disposez celles-ci sur la table de la cuisine. Il n'y a plus aucun doute : l'été est là !

« Les plus
belles choses
de la vie sont
gratuites. »

Un jour là et l'autre non, le printemps joue à cache-cache avec nous.

Si nous ne pouvons pas encore nous débarrasser de nos lainages

d'hiver, nous aspirons à un changement annonciateur de renouveau.

Aucune autre saison n'est attendue avec une telle impatience.

Les premiers beaux jours nous trouvent dehors, le sourire

aux lèvres. De la terre jaillit toute une effervescence de bourgeons,

et le monde est jeune à nouveau. Quelles sont les caractéristiques

essentielles de cette saison ? Songez à l'éclat surprenant des crocus,

printemps

au parfum lourd du muguet, ou au chant des oiseaux qui regagnent

le jardin. L'univers est riche d'espoirs. Il s'agit d'une époque subtile où

la nature renaît. Essayez de traduire ce frémissement dans votre intérieur.

Le forçage de bulbes est l'un des plaisirs les plus simples et les

plus gratifiants du printemps. La maison regorge d'objets ordinaires,

susceptibles de donner lieu à de jolies compositions florales, comme

un vieux seau en métal empli de narcisses, ou une collection

de cruches émaillées contenant chacune un seul brin de jacinthe.

Il est possible de forcer à l'intérieur de la maison des petits rameaux d'arbres fruitiers, comme ceux de cerisier, de cognassier ou de pommier. Fendez l'extrémité de leurs tiges, mettez-les en vase dans une pièce chaude, puis admirez leur éclosion. Semez des graines dans des caissettes en bois, placées sur un appui de fenêtre. Les pousses, qui ne tarderont pas à pointer, évoquent le renouveau de la terre.

Les matières du printemps sont chaudes et avenantes. Pensez à la douceur des chatons de saule, au duvet des poussins ou aux courbes des jeunes fougères émergeant de la terre humide. Entourez-vous de jerseys de coton souples, de chintz velouté et fleuri aux couleurs un peu passées, de vichy et de carreaux à la fraîche innocence : tous ces tissus reflètent la délicatesse d'un monde qui renaît. Introduisez la palette de la nature dans votre maison avec des tons lilas, des vieux roses et des verts tendres. Une tache de jaune jonquille, sur la table de la cuisine, suffit à balayer toute trace de l'hiver.

Le printemps invite aux grands nettoyages qui dépoussièrent et rafraîchissent la maison. Lavez les vitres pour profiter de la lumière des jours qui allongent. Les produits d'entretien naturels — comme le vinaigre blanc, le bicarbonate de soude ou le borax — rendent une maison aussi saine que propre. Frottées à la cire d'abeille, les boiseries se parent d'une patine brillante et dégagent un merveilleux parfum.

L'air est chargé d'énergie et d'optimisme. Les premiers beaux jours nous poussent à sortir de notre hibernation. Inspirez-vous des produits qui font leur retour sur le marché pour organiser un repas autour des surprises du printemps. Saisissez ce moment unique dans l'année de savourer le goût subtil des pommes de terre nouvelles persillées et des premiers petits pois. Profitez des plaisirs éphémères de la saison en parsemant, par exemple, la salade de violettes fraîchement cueillies. Abandonnez-vous à l'effervescence printanière et laissez-la gagner votre maison.

À mesure que les jours allongent, la lumière devient plus forte et l'air plus chaud. Cette atmosphère nous invite à la décontraction. L'été est une saison de liberté, qui affranchit de la contrainte des horaires et des vêtements. La vie prend un tour plus détendu. La décoration estivale doit refléter cette ambiance évocatrice de vacances relaxantes et sereines. Ne résistez pas au climat ambiant. Simplifiez votre intérieur en vous accordant des espaces de respiration. En été, la maison devient un refuge ombragé contre la chaleur torride

été

de l'extérieur. Il est temps de l'éclairer, d'ouvrir les fenêtres, de réduire le linge de lit au minimum. Débarrassez les pièces de leurs tapis afin de sentir le sol sous vos pieds nus. Remplacez les rideaux par des voilages blancs. Improvisez un chemin de table avec une natte de plage en paille, et décorez-le d'une coupe remplie de fragments de verre polis par la mer. Posée contre une fenêtre, une étoile de mer se détachera magnifiquement sur le bleu du ciel. Jetez un châle crocheté sur un guéridon et placez dessus un vase débordant de persil sauvage. L'été s'en va en un clin d'œil ; savourez-le quand il est temps.

Soyez indulgent envers votre maison, et accordez-lui la spontanéité que la saison réclame. Sortez quelques meubles à l'extérieur afin de créer des lieux où profiter du soleil. Une banquette tirée sur la terrasse, garnie de coussins et protégée d'une moustiquaire, ou un large hamac de toile accroché entre deux arbres ombreux suffiront à vous entraîner dans une paresseuse journée de lecture.

Après avoir débuté discrètement, l'été monte en puissance au fil des jours. À l'extérieur, les teintes deviennent de plus en plus fortes pour rivaliser avec l'éclat du soleil. Introduisez des taches de couleurs vives dans votre maison, en vous inspirant des cosmos fuchsia qui poussent au jardin. Les fleurs sont si abondantes en cette période de l'année qu'il serait dommage de s'en priver. Créez des bouquets simples – par exemple, une coupe de fleurs de nectarines ou un pot de soucis –, arrangés généreusement et avec naturel. Ne cantonnez pas les herbes aromatiques à la cuisine. Mêlez menthe, romarin et

sauge à vos compositions florales, ou faites-en pousser sous les fenêtres des chambres : la nuit, leur parfum s'introduira par la fenêtre ouverte et assurera à chacun de doux rêves.

L'été, cuisiner devient une activité de plein air influencée par les cultures du Sud. Depuis les croissants dégustés le matin sur la terrasse jusqu'au barbecue du soir, nous aimerions passer tout notre temps dehors. Même si vous êtes retenu en ville, vous pouvez voyager en pensée en vous offrant le repas exotique de votre choix. Le marché actuel propose une profusion de produits susceptibles d'amener jusque chez vous les saveurs, les parfums et les couleurs de n'importe quel pays. Créer une ambiance romantique pour un dîner en tête à tête au jardin devient également un jeu d'enfant. Il suffit de sortir une table, une nappe, quelques coussins, et de piquer des chandelles dans des bocaux remplis de sable. Il ne manque plus que quelques étoiles filantes pour bien finir la soirée.

Trouvailles marines

Observer attentivement une poignée de fragments de verre polis par la mer, c'est regarder la mer. Leurs teintes, leur transparence givrée, leur érosion piquetée de cristaux concourent à évoquer les vagues, le sable et la lumière. Isolés, ils brillent comme le soleil sur l'écume ; en groupes, leurs teintes se répondent pour composer tout un paysage marin. Flâner sur le rivage à la recherche de ces humbles joyaux est un grand plaisir, pour les enfants comme pour les adultes. Une fois ramenés à la maison, ils constituent un souvenir aussi vivant qu'une peinture ou une photographie... J'adore marcher sur la plage en récoltant au creux de ma main des palettes entières de ces éclats colorés. Je ne cesse de m'étonner de la capacité de la nature à offrir des harmonies de tons aussi parfaitement équilibrées. Au fil de ma promenade, j'enrichis et j'améliore mon butin, m'amusant de la façon dont une nouvelle couleur suffit à modifier la tonalité de l'ensemble.

Comme je souhaitais être environnée en permanence d'une ambiance estivale, j'ai peint ma maison à l'aide de couleurs inspirées par celles du rivage. Avec des émulsions à l'eau, j'ai superposé sur de vieux meubles de véranda plusieurs tons de vert et de blanc ; puis je les ai poncés au papier abrasif afin de révéler, par endroits, les différentes couches. Les couleurs et les textures obtenues semblent avoir été délavées par la mer et par l'air salin.

À gauche Réalisé avec du bois flotté et des fragments de verre polis par la mer, ce mobile reflète l'éclat du soleil.
À droite Dans cette collection de bouts de verre dépolis, tout évoque la mer, ses couleurs et sa transparence.
Page ci-contre, en haut Une fois superposées et poncées, ces peintures retranscriront les teintes de la mer.
Page ci-contre, en bas Cueillis dans les dunes, quelques joncs de mer accompagnent des vieux meubles et des ustensiles en fer-blanc, peints aux couleurs de la mer et du rivage.

Au fil des pages du calendrier, la nature perd de sa luminosité et se pare de roux. À l'apogée de l'année, elle recueille ce vers quoi elle a tendu tous ses efforts : l'abondance. La fraîcheur du temps nous entraîne dans un tourbillon d'activités. C'est l'heure des dernières récoltes et de la rentrée des classes. Nous nous dépêchons de profiter de chaque instant avant la venue de l'hiver. La vie citadine reprend ses droits ; notre emploi du temps est tellement chargé que la nouvelle année arrive sans même que l'on s'en soit aperçu.

automne

À l'équinoxe d'automne, l'équilibre entre le jour et la nuit nous invite à reprendre un rythme de vie plus habituel. C'est le moment de réorganiser la maison et de ranger les placards. La palette automnale est sophistiquée, mariant des jaunes dorés à des rouges flamboyants, teintés d'orangés et d'une pointe de cramoisi. Autant de nuances que l'on peut retrouver dans le motif d'un cachemire, ou dans le tissage couleur bruyère d'un tweed. En songeant à l'éclat contenu d'une flamme vacillante, recherchez des tonalités profondes, par exemple celles d'un kilim ou d'un poncho aux couleurs de terre.

Tandis que vous ressortez du fond de vos placards lainages, bottes et imperméables afin d'affronter les premiers frimas, pensez également à réchauffer la maison de quelques étoffes dont les couleurs et les matières évoquent la flamboyance de l'automne.

Les poires sont le symbole parfait de cette saison. De la richesse de leurs teintes à la rondeur de leurs formes, tout en elles suggère la maturité de la nature à cette époque de l'année. Après les avoir vues ployer les branches, les avoir cueillies, admirées dans une coupe, puis cuisinées, il est enfin temps de les savourer sous forme de tartes. La nature nous fait ainsi cadeau de toute une suite d'émerveillements. Il en va de même pour les citrouilles dont la pulpe donne des soupes stimulantes, que l'on servira dans une peau évidée, à moins qu'on ne transforme cette dernière en vase ou en lanterne d'Halloween.

De grandes coupes en bois, remplies de pommes ou de fruits secs, remplacent les bouquets de fleurs de l'été. Afin de profiter de la diversité de formes et de teintes offerte par la nature, il est préférable d'acheter les fruits et légumes sur les marchés ou dans les magasins de produits biologiques, car les grands réseaux de distribution ne proposent malheureusement que des denrées standardisées.

Utilisez les dernières plantes du jardin. Grâce à leurs arilles sculpturaux, les fleurs comme les cheveux-de-Vénus, les pavots ou les rudbeckies peuvent encore constituer de magnifiques bouquets. Créez des compositions pleines de vie en associant le piquant des chardons et de quelques rameaux sinueux à la plénitude des fleurs d'aubépine. Faites sécher de la sauge dans l'âtre, puis utilisez-la pour enflammer le premier feu de bois de la saison. La tradition veut que cela purifie l'atmosphère et débarrasse la maison de tous les esprits négatifs qui s'y seraient cachés ! Glands et pommes de pin sont à l'automne ce que galets et coquillages sont à l'été. Récoltez-les dans les bois afin de parer votre intérieur d'un charme rustique.

Fruits de saison

Les couleurs exercent sur nous une grande influence. Bien que devant le large éventail de peintures disponibles de nos jours je me sente comme une enfant dans une confiserie, je pense que la meilleure règle consiste à choisir une palette en accord avec la nature, cette dernière faisant généralement bien les choses. Ce sont les tonalités des paysages environnant une maison qui créent les décors les plus réussis à l'intérieur de celle-ci.

Si vous n'avez pas le courage de peindre toute une pièce, mettez l'accent sur un mur, ou bien badigeonnez le plafond en bleu ciel comme cela était de coutume au XVIIe siècle. Un intérieur de placard peint dans une teinte contrastante suffira à vous donner le sourire chaque fois que vous l'ouvrirez. Si, comme moi, vous avez des coups de cœur soudains pour une couleur ou une autre, fabriquez des panneaux avec de la toile à peindre agrafée sur des cadres en bois. Les boutiques pour beaux-arts proposent également des petits châssis prêts-à-l'emploi. Appliquez la peinture en voiles légers, comme si vous travailliez sur un mur. Ainsi, lorsque vous vous éprendrez d'une nouvelle couleur, il ne vous restera plus qu'à en recouvrir l'ancienne !

À gauche Cette palette de couleurs est inspirée de fruits automnaux. **Page ci-contre** Une grande toile peinte dans des tons de raisin sert d'arrière-plan à un jeté et à de larges coussins, coupés dans du velours et de la soie aux couleurs de joyaux. L'ensemble réchauffe une pièce par ailleurs claire et dépouillée.

Lorsque l'hiver arrive, le monde se repose à nouveau. Les jours sont courts, l'atmosphère parfois désolée. C'est l'époque de l'année la plus soumise aux éléments. Mais le vent du nord et le ciel gris nous font d'autant plus apprécier le confort de notre maison. L'hiver est une époque d'hibernation dont nous ne sommes pas exclus. Pour vous protéger de la rigueur du temps, aménagez-vous un nid douillet où vous pourrez vous lover sous de chaudes couvertures de laine, devant les flammes crépitantes d'un bon feu de bois.

hiver

Accordez-vous de longs bains parfumés d'huiles aromatiques, pris à la lueur de bougies. Préparez du vin chaud dont la senteur de cannelle se répandra dans toute la pièce. Les activités d'intérieur, comme le bricolage et les travaux d'aiguille, seront privilégiées. Fabriquez une petite table ou un panier pour ranger les ouvrages en cours. Non seulement un pull-over a plus de chance d'être terminé si vous le gardez à portée de main mais, dans une corbeille, il forme également une charmante décoration. Les loisirs manuels animeront la maison d'une atmosphère créative et sereine.

Lorsque les jours raccourcissent, compensez l'obscurité pénétrante en décorant votre intérieur de couleurs toniques et de motifs relevés. Vivant sous l'un des climats les plus rudes du monde, les Scandinaves sont passés maîtres en la matière, avec leurs carreaux lumineux et les dessins très gais de leurs tricots traditionnels. Les lainages écossais produisent le même effet, chaleureux et optimiste. En hiver, consacrez l'essentiel de vos efforts à chasser le froid et la tristesse. Laissez-vous choyer. Entourez-vous de matières et d'étoffes sensuelles, comme le velours ras ou côtelé, la soie et l'angora. Confort ultime, enveloppez-vous dans l'une de ces merveilleuses couvertures en fausse fourrure que l'on vend actuellement, ou qu'il est facile de réaliser soi-même.

En hiver, la terre révèle son squelette. Songez aux magnifiques lignes sculpturales de l'hamamélis : un seul de ses rameaux suffit à embellir une pièce. Dans le jardin, seuls subsistent les arbres et les haies, dont les silhouettes ordonnées reposent notre regard de la flamboyante palette automnale. C'est l'époque où l'on fabrique des couronnes, car leur forme en anneau symbolise l'accomplissement de l'année. Vous pouvez en confectionner une avec des brindilles si vous ne trouvez plus de verdure à l'extérieur : le dépouillement porte en lui sa propre poésie.

Les fleurs étant rares en hiver, tournez-vous vers les fruits et les feuillages afin de décorer votre intérieur. Réputé pour ses propriétés médicinales, l'eucalyptus peut résister longtemps dans un vase ; son élégance persiste même une fois sec, lorsque sa teinte verte vire en un bel argenté. Égayez les pièces de taches de couleur en y disposant des coupes d'oranges et de citrons... Devenu par force jardinier d'intérieur, mettez ce temps à profit pour imaginer et organiser vos plantations et vos jardinières de l'été prochain. Célébrez le 1er janvier en plantant, dans un pot, une amaryllis dont vous pourrez admirer la beauté à mesure qu'elle s'épanouira avec la nouvelle année.

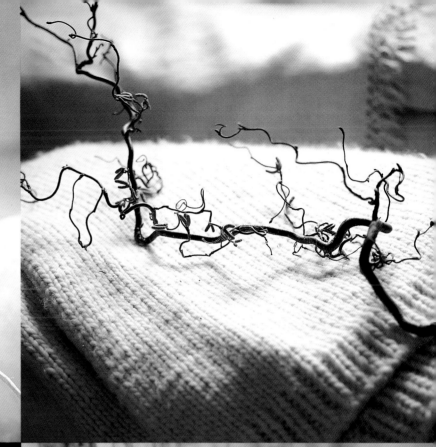

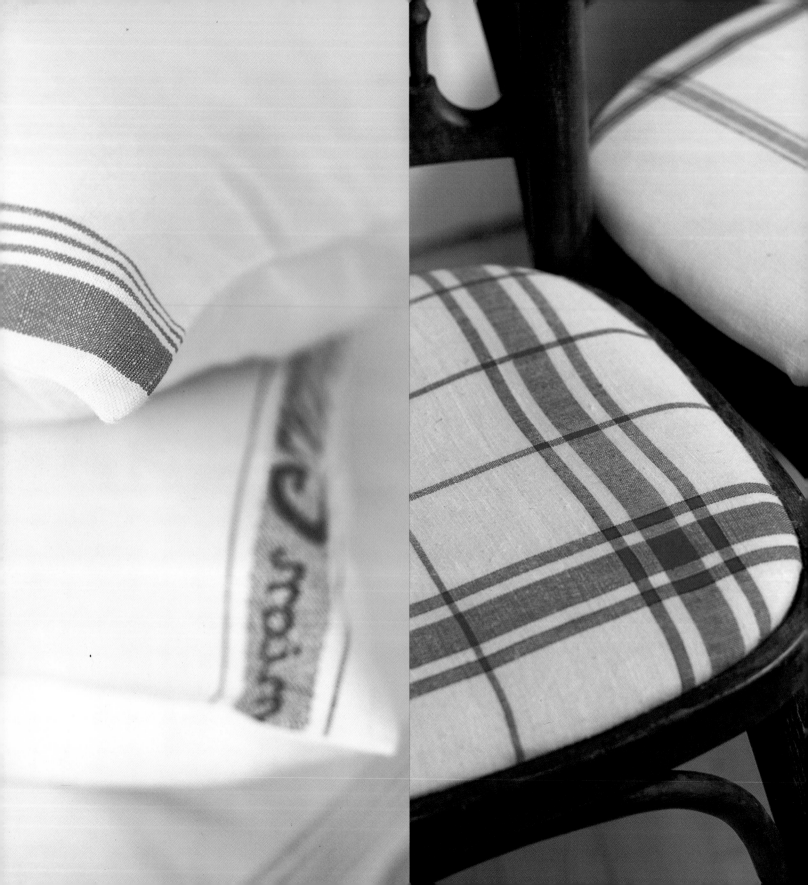

Créations

Les objets

UNE MAISON DOIT RÉVÉLER LE TEMPÉRAMENT DE SES HABITANTS. ELLE DEVRAIT MÊME EN ÊTRE LE PORTRAIT. C'EST PAR PETITES TOUCHES, EN METTANT EN VALEUR LES OBJETS QUI NOUS TIENNENT À CŒUR, QUE NOUS LUI DONNONS SON CARACTÈRE UNIQUE. QUELQUES DÉTAILS SUFFISENT À LA TRANSFORMER EN UN ESPACE PERSONNEL. ENVISAGEZ VOTRE INTÉRIEUR COMME UN ARTISTE SA TOILE, ET CRÉEZ DES DÉCORS COMME S'IL S'AGISSAIT DE NATURES MORTES. Soyez spontané avant tout. N'hésitez pas à reconsidérer votre environnement en fonction des changements de saison, de lumière et de température. Laissez l'extérieur influencer l'intérieur. Déplacez vos meubles et vos accessoires préférés d'une pièce à l'autre, afin que votre maison reste dynamique. Vous serez surpris de constater qu'un objet que vous connaissez pourtant bien prend une tout autre dimension quand il est placé dans un nouveau contexte. On peut collecter des petits fragments de nature pour décorer sa maison de natures mortes éphémères ; c'est une façon de se souvenir d'un lieu et d'un instant précis. Ou créer des contrastes intéressants en associant des objets tendres et d'autres plus austères, et en jouant sur les différences de tailles. Mélangez le passé au présent, soulignez certains bibelots en les disposant par groupes. Ce sont ces petites touches, sans cesse renouvelées, qui donneront vie et sens à votre intérieur, et qui rendront votre entourage heureux ! La créativité n'appartient pas aux seuls spécialistes et ne passe pas obligatoirement par la peinture ou l'écriture. Elle peut, tout simplement, s'exprimer dans la façon d'arranger un bouquet ou de décorer un dessus de cheminée.

Souvenirs personnels

Il n'y a pas que les œuvres de maîtres que l'on peut accrocher aux murs. Une collection de souvenirs – cartes postales, dessins d'enfants ou croquis – donne à un intérieur une touche personnelle. Étudiez les différentes possibilités, puis élaborez un décor qui reflète bien votre caractère et vos goûts du moment. Les images choisies auront plus d'impact et de spontanéité si elles sont présentées d'une manière qui autorise leur renouvellement au gré de vos humeurs.

Outside Myself, 1994
Courtesy Jay Jopling / White Cube

Page ci-contre Une corde tendue à travers le mur
est parfaite pour présenter une collection d'aquarelles.
Ci-dessus Cartes postales et photoghraphies évoquent le temps des
vacances. **Ci-contre, en haut** En contraste avec le classicisme du cadre,
des croquis sont simplement punaisés au mur. **Ci-contre, au centre** Du lichen et
quelques clichés forment une composition hivernale. **Ci-contre, en bas** Des pinces
à dessin ont été clouées sur ce paravent afin d'y fixer cartes et dessins.

Tableau d'affichage

Voici un tableau d'affichage suffisamment élégant pour trouver sa place dans votre salle de séjour ou dans votre bureau. Le cadre en pin a été récupéré sur un marché aux puces. Son aspect velouté est dû à une superposition de voiles de peinture dans différents tons de blanc. Cartes et photographies sont maintenues sous des rubans, ce qui évite de les abîmer avec des punaises et permet de les changer quand on le souhaite.

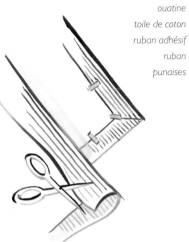

1 Découpez le carton-mousse et la ouatine aux dimensions intérieures du cadre. Coupez la toile de la même façon, avec une marge de 10 cm tout autour.

Fournitures

un cadre
carton-mousse
ouatine
toile de coton
ruban adhésif
ruban
punaises

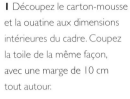

2 Placez la ouatine sur le carton, puis étalez la toile au-dessus. Rabattez cette dernière sur l'envers, enlevez l'excédent, puis fixez la toile avec des morceaux de ruban adhésif, en façonnant les coins en onglets.

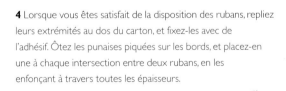

3 Pour former le treillage, tendez des rubans à travers la toile, et punaisez-les à quelques millimètres des bords, en les laissant suffisamment dépasser à chaque extrémité pour pouvoir les rabattre sur l'envers.

4 Lorsque vous êtes satisfait de la disposition des rubans, repliez leurs extrémités au dos du carton, et fixez-les avec de l'adhésif. Ôtez les punaises piquées sur les bords, et placez-en une à chaque intersection entre deux rubans, en les enfonçant à travers toutes les épaisseurs.

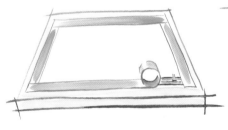

5 Placez le carton dans le cadre. Fixez-le avec du ruban adhésif, en recouvrant les bords de la toile et les extrémités des rubans.

Images changeantes

Il paraît souvent intimidant de choisir l'emplacement de cadres sur un mur car, une fois que l'on y aura fixé des vis ou des clous, il sera difficile de changer d'avis. Dans ma maison, j'ai résolu ce problème grâce à un rayonnage composé de quelques étagères étroites – 8 cm de profondeur environ – sur lesquelles j'expose une collection de photographies et de dessins que je renouvelle sans cesse. De la même façon, vous pouvez accrocher une seule grande peinture au-dessus d'un manteau de cheminée, et aligner sur celui-ci des petits cadres, tout simplement appuyés contre le mur. Cela vous laisse libre de retirer des images ou d'en placer des nouvelles, au gré de votre humeur et de vos préférences.

À gauche Ce n'est pas parce que vous ne pouvez pas vous offrir des œuvres d'art que vos murs doivent rester nus. Accrochez-y des quilts, des étoffes ou, comme ici, une collection de chapeaux de paille. Des chaises pliantes et un pot de fleurs emprunté au jardin complètent l'ambiance estivale et décontractée.
Page ci-contre Installés sur toute la longueur du mur, des rayonnages étroits servent à exposer une collection d'images sans cesse renouvelée.

Embellissez votre quotidien

Il n'est pas nécessaire d'accumuler une multitude d'objets pour créer une belle maison. Le secret consiste plutôt à embellir le quotidien. En donnant du sens aux accessoires que vous manipulez chaque jour, vous pouvez rendre les routines domestiques plus agréables. Conçus avec simplicité et pragmatisme, les objets artisanaux possèdent une authenticité si attachante qu'il est souvent dommage de les ranger hors de la vue entre deux utilisations. Sans être forcément plus coûteux, un arrosoir rustique ou une balayette en bois accompagnée de sa pelle en fer-blanc ne détonnent pas dans une pièce comme le feraient des articles modernes en plastique. Choisissez avec attention les objets ménagers dont vous vous servez fréquemment, comme par exemple les ustensiles de cuisine, les pots, les casseroles, les cintres et même les brosses de nettoyage. Il suffit d'un peu d'imagination pour qu'ils soient aussi plaisants à employer qu'à regarder.

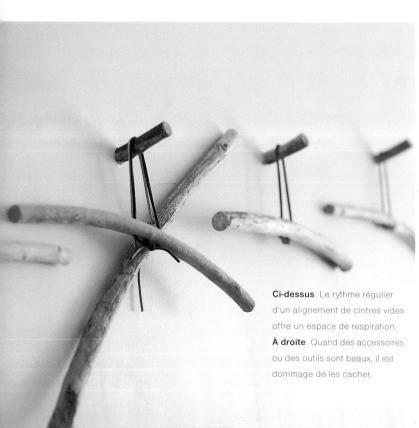

Ci-dessus Le rythme régulier d'un alignement de cintres vides offre un espace de respiration. **À droite** Quand des accessoires ou des outils sont beaux, il est dommage de les cacher.

Rappelez-vous comment, enfant, vous aimiez exposer vos trouvailles dans la classe de sciences naturelles. Retrouvez cette innocence pour animer votre maison, pour lui apporter de l'énergie. Choisissez un endroit bien en vue – un manteau de cheminée par exemple – pour

une maison n'est pas un lieu statique

présenter ce que vous récoltez dans la nature, saison après saison : des pommes de pin rangées par tailles que vous verrez s'ouvrir à la chaleur de la pièce, des piles de galets groupés par couleurs, ou encore une cruche blanche emplie de persil sauvage.

L'art et la manière de présenter les objets est une forme de poésie visuelle. **Ci-dessus, de gauche à droite** Il suffit d'un croquis fixé à l'aide de ruban adhésif pour animer un mur. La texture de la paille évoque l'été. Triés dans des bocaux et étiquetés, des fragments de roche rappellent les dernières vacances d'été. **Ci-dessous, de gauche à droite** Des galets ramassés sur la plage sont ornés de cœurs peints. Une petite pomme sauvage peut être aussi belle qu'une œuvre d'art. Un fagot de branchettes récoltées en promenade forme une sculpture naturelle. **Page ci-contre** Un fond nuageux, peint sur une grande toile agrafée au mur, sert d'arrière-plan à une collection d'objets saisonniers exposés sur un manteau de cheminée.

Placard peint

Les marchés aux puces sont d'inépuisables sources d'approvisionnement en objets peu coûteux. Choisissez des meubles bien proportionnés, aux lignes sobres, puis décorez-les à l'aide de techniques simples. Les peintures acryliques sont d'un emploi facile ; solubles à l'eau, elles ne nécessitent pas de produits chimiques. Un panneau de porte uni est idéal pour accueillir l'un de vos motifs préférés, comme la colombe que j'ai peinte ici.

1 Poncez légèrement l'ensemble du meuble à l'aide de papier abrasif, essuyez-le avec un chiffon humide, puis recouvrez-le d'une couche de peinture de ton moyen. Laissez sécher. Mélangez trois parts du ton foncé avec une part d'eau. Appliquez un voile léger de la solution obtenue sur les panneaux des portes, en travaillant dans le sens des fibres. Diluez le ton clair de la même façon, et appliquez-le sur le cadre des portes. Laissez sécher.

2 Recouvrez le placard d'une couche de ton moyen, diluée toujours selon les mêmes proportions. Répétez cette superposition encore deux fois, en laissant sécher chaque couche avant de poser la suivante et en terminant par l'application du ton clair sur les cadres. Poncez le meuble dans le sens des fibres afin de créer un dégradé doucement estompé. Si vous le souhaitez, vous pouvez ajouter des voiles de couleur supplémentaires, ou une couche finale très diluée (une part de peinture pour une part d'eau).

3 Agrandissez le dessin de la colombe aux dimensions voulues, puis reportez-le au crayon sur le placard.

4 Peignez la colombe avec le ton clair et le pinceau fin. Sur le corps, appliquez la peinture par petites touches, en faisant pivoter l'extrémité du pinceau afin d'indiquer le mouvement des plumes. Traitez la queue et les ailes à l'aide de touches plus longues, réalisées dans le sens des plumes. Pour les ailes, exécutez d'abord les plumes les plus longues situées dessous, puis celles plus courtes du dessus. Les surépaisseurs créées par les coups de pinceau donnent du relief au décor.

5 Laissez sécher le motif, puis protégez le placard en appliquant deux couches de vernis acrylique sur l'ensemble.

Suivez le rythme des saisons

Fleurs et feuillages animent une maison. J'ai dépensé des fortunes chez les fleuristes avant de comprendre qu'un peu d'imagination suffisait à créer de beaux décors avec ce que m'offre mon jardinet. Je préfère les plantes locales aux végétaux exotiques, car elles me procurent un sentiment rassurant d'enracinement dans le temps et dans l'espace. Au printemps, je m'adonne aux plaisirs du forçage de bulbes : un pot de narcisses annonce les beaux jours bien avant que la température ne le fasse. En automne, je me tourne vers les baies, l'aubépine et les feuillages. Si l'on réfléchit à leur disposition, quelques petits bouquets peuvent avoir au moins autant d'effet qu'une grande composition. Placez-les aux endroits où ils accompagneront vos activités les plus quotidiennes. Sur le lavabo de la salle de bains, quelques fleurs vous égaieront dès le réveil, et encore le soir au moment du coucher.

Un bouquet ne doit pas forcément être très fourni. Une composition simple suffit à évoquer la nature. Vous pouvez disposer les fleurs une par une dans des bouteilles en verre, ou les réunir dans un bocal. Même pour orner la plus élégante des tables, n'hésitez pas à utiliser comme vases des objets ordinaires : c'est ce mariage qui fait tout le charme d'un intérieur.

Fournitures

fleurs fraîches

papier buvard

un miroir découpé
aux dimensions voulues

une vitre pour sous-verre
de mêmes dimensions
que le miroir

ruban adhésif double face

ruban adhésif toilé
pour encadrement

ruban

1 Disposez les fleurs bien à plat entre deux feuilles de papier buvard, puis mettez l'ensemble sous presse en plaçant une pile de gros livres par-dessus. Laissez sécher au moins trois semaines.

2 Faites découper un miroir et une vitre de sous-verre aux mêmes dimensions. Sur chacune d'elles, demandez que l'on perce deux trous espacés de 5 cm, à 3,5 cm du bord supérieur.

3 À l'aide d'un petit morceau de ruban adhésif double face fixé au dos de chacune d'elles, collez les fleurs autour du miroir.

Miroir fleuri

Un miroir offre une merveilleuse opportunité de décorer le quotidien, car nous sommes assurés de nous y regarder au moins une fois par jour. Protégées par une vitre, les fleurs d'hortensia conservent leur beauté fragile et évoquent l'été tout au long de l'année. Leurs couleurs faneront peu à peu, mais cela ajoutera encore à leur charme discret. Page ci-contre, un cadre dont le fond a été remplacé par une deuxième plaque de verre constitue une vitrine facilement renouvelable au fil des saisons. Vous pourrez la garnir de fougères délicates en hiver, de capucines aux teintes éclatantes durant l'été, de feuilles d'érable aux silhouettes dentelées en automne, et de quelques violettes au printemps.

4 Placez délicatement la vitre sur le miroir. Assemblez chacun des quatre coins avec un morceau du ruban adhésif toilé, appliqué en diagonale.

5 Pour suspendre le miroir, glissez un ruban dans les trous et nouez-le.

Les tissus

J'AI UNE GRANDE PASSION POUR LES TISSUS. POUR MOI, ILS CONSTITUENT L'UN DES MOYENS LES PLUS SIMPLES DE CAMPER UN DÉCOR. LITS, CHAISES, TABLES ET CANAPÉS PEUVENT ET DOIVENT CHANGER DE PARURE D'UNE SAISON À L'AUTRE. IL SUFFIT DE RENOUVELER LES HOUSSES, LES RIDEAUX, LES NAPPES, LE LINGE DE LIT ET LES COUSSINS, OU MÊME DE DISPOSER UN CARRÉ D'ÉTOFFE SUR UN GUÉRIDON, POUR TRANSFORMER EN UN CLIN D'ŒIL L'ATMOSPHÈRE D'UNE MAISON. Envisagez cela comme s'il s'agissait de composer une garde-robe pour votre intérieur ! Les housses permettent des métamorphoses rapides et spectaculaires. Je possède une petite collection de jetés qui font tour à tour office de nappes ou de couvre-lits, voire de rideaux improvisés... Ils ajoutent couleurs, motifs et textures à une pièce sans engager de travaux longs et coûteux. Aménagez des espaces de repos en accord avec les saisons. Une housse de fauteuil aux teintes fraîches annonce joliment la venue du printemps. Dès que l'automne arrive, on aime retrouver un châle en cachemire et des coussins douillets sur le canapé. En hiver, jetez une couverture en fausse fourrure devant la cheminée afin d'y déguster du chocolat chaud. L'été, garnissez un hamac de coussins découpés dans des imprimés champêtres pour le rendre plus confortable. Les tissus vous permettent davantage d'audace créative que les autres matériaux, car il est aisé de les déplacer d'une pièce à l'autre ou des les renouveler au gré de l'humeur et des conditions climatiques. Habillez et déshabillez votre maison au fil des saisons !

Tissus d'été

Ne vous cantonnez pas aux tissus d'ameublement pour décorer votre maison. Généralement moins coûteuses, les étoffes destinées à la confection y ajouteront une note de fantaisie. Les idées présentées ici ont toutes été inspirées par les rayures et les carreaux classiques des chemises d'homme. Tout comme sur un vêtement, les motifs de ce genre confèrent à la pièce une allure fraîche et nette.

Achetez quelques mètres de shirtings coordonnés, puis amusez-vous à confectionner des taies d'oreiller, des sacs à linge et même des housses de couette. Le patchwork est un excellent moyen d'utiliser des chutes de tissu, d'autant plus que, grâce aux machines à coudre actuelles, cette technique ne nécessite plus d'innombrables heures de travail. Sur les marchés aux puces, on trouve en abondance de jolies finitions, telles que boutons et rubans.

Les vieux vêtements suscitent aussi l'imagination. Les chemises de nuit masculines du début du siècle dernier possèdent de jolies rayures veloutées ; les jupes froncées des années 1950 présentent des dessins un peu kitsch, qui sont bien mis en valeur sur une large surface plane comme un store ou un grand coussin. Même élimés, les pantalons en toile et en jean sont encore suffisamment solides pour être découpés en pièces que l'on assemble ensuite pour recouvrir un repose-pied.

Fouillez votre armoire à la recherche de vêtements que vous ne portez plus à cause de leur style ou de leur taille, mais que vous avez conservés parce que leur tissu vous plaisait. Votre garde-robe est très certainement bourrée d'idées de décoration !

À droite C'est une chemise qui a suscité toute les idées décoratives de cette chambre, depuis le patchwork accroché au mur jusqu'à la taie d'oreiller à carreaux, en passant par la housse de couette composée d'un assemblage de shirtings. **À l'extrême droite** Coupés dans du shirting, ces sacs à coulisse sont décorés d'attaches en gros-grain rayé de couleurs contrastées.

Jeté automnal

Comme nos grands-mères le savaient bien, le patchwork est l'un des
moyens les plus ingénieux d'utiliser des chutes de tissu. Constitué
de pièces de tweed, ce jeté original est bordé de velours ras et doublé
de laine d'agneau. Il est assez solide pour être étalé par terre, devant
la cheminée, mais suffisamment douillet pour que l'on s'y enveloppe.

Fournitures

*un assortiment
de tissus en tweed
velours de coton
pour la bordure
tissu en laine d'agneau
fil à coudre*

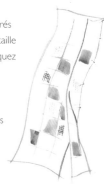

1 Découpez cent trente carrés
dans les tissus en tweed ; la taille
idéale est 10 cm de côté. Piquez
les pièces deux à deux afin
d'obtenir treize bandes,
composées chacune de dix
carrés. Assemblez les bandes
deux à deux. Puis ouvrez
les coutures au fer.

2 Coupez quatre bandes de velours de 20 cm de hauteur :
deux d'entre elles mesurant 20 cm de plus que la largeur
du patchwork, et les deux autres 20 cm de plus que
la longueur de celui-ci. Assemblez-les deux à deux,
endroit contre endroit, en effectuant une piqûre en
forme de triangle aux extrémités. Retaillez les réserves
de coutures, puis ouvrez les coutures au fer.

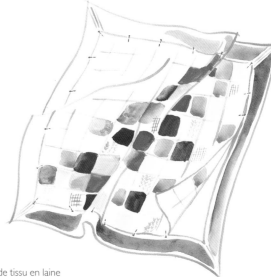

3 Placez la bordure
sur le patchwork,
endroit contre
endroit. Épinglez,
bâtissez puis piquez
les quatre côtés
de l'ouvrage.

4 Coupez une pièce de tissu en laine
d'agneau de mêmes dimensions que
le patchwork. Endroit contre endroit,
épinglez-la à la bordure, sur l'envers
de l'ouvrage. Bâtissez puis piquez trois
des côtés. Ouvrez les coutures au fer.
Retournez le jeté sur l'endroit.
Fermez le quatrième côté et
les angles à petits points d'ourlet.

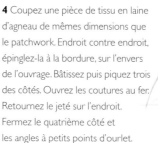

Les objets quotidiens

Il n'est pas nécessaire de dépenser des fortunes pour décorer son intérieur. Le linge de maison ordinaire offre une inépuisable source d'inspiration. L'un de mes articles préférés est le modeste torchon dont les rayures et les carreaux pimpants évoquent le printemps tout au long de l'année. Réunissez-en plusieurs modèles coordonnés, puis assemblez-les pour confectionner des rideaux, des housses de coussin ou une nappe en patchwork, ou bien accrochez-en simplement un assortiment au mur. Neufs, ils possèdent une fraîcheur éclatante ; en vieillissant, ils se parent d'un délicieux charme suranné. Cherchez, dans les marchés aux puces, les magnifiques torchons en lin d'autrefois.

Page ci-contre, à gauche Jouez la simplicité avec des garnitures de chaise coupées dans des torchons. Page ci-contre, à droite Ces coussins très frais ont été créés avec des torchons. Ci-dessus Un store, fabriqué avec des torchons à carreaux bleus, campe une ambiance printanière. Ci-contre, en haut Un assortiment de torchons accrochés au mur est aussi utile que décoratif. Ci-contre, en bas Une nappe rustique coupée en deux est devenue un charmant brise-bise pour une salle de bains.

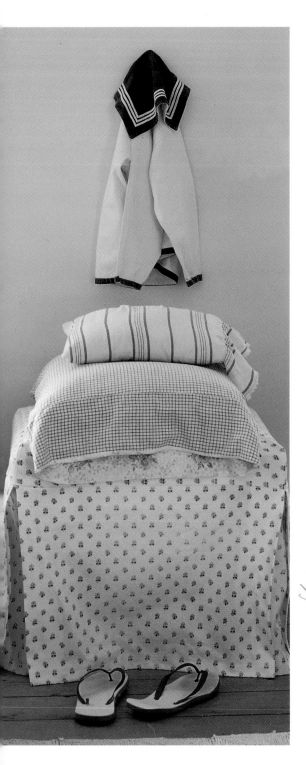

Oreiller marin

Fournitures

*une marinière taille adulte
(cherchez dans les marchés aux
puces et les friperies)*
fil à coudre

J'aime décorer ma maison avec des vieux tissus. Les vêtements abîmés sont souvent vendus à très bas prix. En les découpant habilement, il est facile d'en récupérer les parties intactes pour confectionner des petits accessoires.

1 Taillez un rectangle dans le col de la marinière. Sur le devant, coupez un rectangle d'une largeur égale à celle du col, majorée de 2,5 cm de chaque côté pour les réserves de couture. Dans le dos, coupez une pièce de même largeur et de longueur égale à la somme des longueurs de la pièce du devant et du col. Prévoyez également des réserves de couture de 2,5 cm en haut et en bas des deux pièces. Prélevez l'insigne brodé fixé sur la manche, la poche, le lien de l'encolure, et mettez-les de côté.

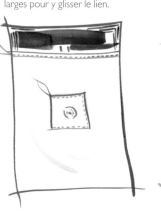

2 Sur l'un des petits côtés de la pièce du devant, bâtissez un double ourlet rabattu sur l'endroit. Placez le grand côté non terminé du col sous cet ourlet, puis surpiquez à travers toutes les épaisseurs.

3 Cousez l'insigne sur la poche, puis piquez l'ensemble au centre de la pièce du devant. Au milieu du col, effectuez deux boutonnières espacées d'un centimètre et assez larges pour y glisser le lien.

4 Endroit contre endroit, piquez la base et les deux côtés du dos et du devant, en laissant le col libre.

Retournez sur l'endroit, et surpiquez les petits côtés du col sur le dos.

5 Enfilez le lien dans les deux boutonnières, puis nouez ses extrémités en rosette sur le dessus du col. Vous pouvez fixer le lien sur l'envers à l'aide de quelques points.

Abat-jour nacré

Un jour où j'étais découragée de courir les magasins à la recherche de jolis abat-jour à des prix raisonnables pour décorer ma maison, j'ai finalement décidé d'acheter les modèles les plus simples et les moins chers que je pourrais trouver dans la grande surface voisine de chez moi. Je me suis ensuite installée au soleil, et j'ai pris plaisir à les personnaliser avec des rubans et des vieux boutons. Il ne m'a pas fallu plus d'une heure pour les transformer en accessoires originaux. Et lorsque des abat-jour ne vous ont pas coûté une fortune, vous hésitez moins à les renouveler fréquemment !

Fournitures

un abat-jour uni
ruban pour border
le haut et le bas
environ dix
boutons nacrés
colle universelle
ruban adhésif
double face

1 Enroulez le ruban autour du bord supérieur de l'abat-jour, et coupez-en la longueur nécessaire, plus 1 cm. Étalez le ruban sur le plan de travail, enduisez sa face envers d'une couche régulière de colle, puis fixez-le sur l'abat-jour. Retournez les extrémités envers contre envers, et placez-les sur la ligne d'assemblage du papier ou du tissu. Procédez de la même façon pour décorer le bord inférieur.

2 Fixez un petit morceau de ruban adhésif double face au dos de chacun des boutons, puis disposez-les sur l'abat-jour. Lorsque vous êtes satisfait de votre composition, tracez des repères au crayon, retirez les pellicules protectrices du ruban adhésif, et collez les boutons à leur place.

Pour décorer votre intérieur, servez-vous de coussins dont vous pouvez changer les housses au gré de votre humeur et des ambiances que vous voulez créer. Confectionnez-les avec des chutes de vieux tissus, avec des fins de rouleau ou des coupons bon marché, ou encore avec des foulards. Je possède un gros fauteuil en osier que j'appelle mon « fauteuil saisonnier ». Ses coussins étant constitués de plusieurs étoffes différentes, il me suffit de les retourner pour changer l'atmosphère de la pièce, à laquelle ils apportent toujours une note chaleureuse.

Coussins décoratifs

Nappe à grandes fleurs

Une nappe suffit à métamorphoser la plus insignifiante des tables. Ici, c'est l'établi de mon époux qui est transformé en desserte de charme grâce à de la toile décorée de marguerites. Pour gagner du temps, les applications sont tout simplement fixées au point zigzag.

Fournitures

toile à peindre avec une trame de grosseur moyenne (dans les boutiques pour beaux-arts)
toile de lin blanche, d'épaisseur comparable à la toile à peindre
un crayon
fil à coudre
quatre gros boutons (j'ai utilisé des boutons anciens)

1 Lavez la toile à peindre afin de la faire rétrécir. En séchant, elle forme des plis et des craquelures qui lui donnent encore plus de caractère. Mesurez la table que vous souhaitez habiller. Coupez une pièce pour le plateau et une autre pour le dos, en prévoyant une réserve de couture de 2,5 cm tout autour. Si la laize est suffisante, coupez une seule pièce pour le devant et les deux côtés, en majorant la largeur de 40 cm pour les plis, et la hauteur de 5 cm pour les réserves de couture. Dans le cas contraire, coupez trois pièces en prévoyant des réserves de couture, puis assemblez-les de façon à placer les coutures au creux des futurs plis.

2 Lavez la toile de lin afin de la faire rétrécir. Coupez une bande de 30 cm de hauteur, et d'une longueur égale à celle du devant et des deux côtés. Si vous devez assembler plusieurs laizes, placez les coutures à l'emplacement des futurs plis. Tracez des repères à intervalles réguliers sur le bord supérieur de la bande ; 10 cm plus bas, tracez une deuxième série de repères décalés de moitié. Découpez en suivant les repères de façon à former une frise de picots.

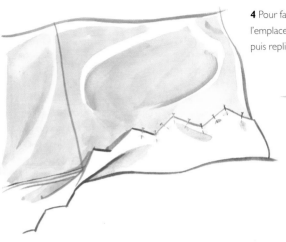

4 Pour façonner les deux plis du devant, repérez l'emplacement des angles de la table à l'aide d'épingles, puis repliez la toile à peindre sur elle-même et sur 5 cm

3 Placez l'endroit de la bordure contre l'envers de la toile à peindre, en alignant leur bord inférieur l'un sur l'autre. Piquez à 2,5 cm du bord. Rabattez la bordure sur l'endroit de la toile et épinglez-la. Surpiquez les picots à la machine à coudre, avec un point zigzag très serré. Repassez l'ouvrage.

de part et d'autre de ces repères. Essayez la nappe sur la table et ajustez les plis si cela s'avère nécessaire. Lorsque vous êtes satisfait, repassez les plis, bâtissez-les, puis piquez-les à 1 cm du bord supérieur.

5 Dans la toile de lin, découpez des pièces en forme de pétales, épinglez-les sur le devant de la nappe, puis surpiquez-les avec un point zigzag très serré. Cousez un bouton au centre de chaque fleur. Ourlez le bord inférieur de la pièce du dos. Assemblez les trois parties de la nappe endroit contre endroit. Crantez les angles puis ouvrez les coutures au fer.

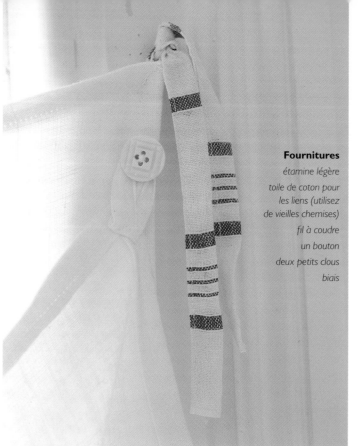

Fournitures

étamine légère

toile de coton pour les liens (utilisez de vieilles chemises)

fil à coudre

un bouton

deux petits clous

biais

Rideau estival

Un brise-bise léger permet de préserver l'intimité d'une pièce sans occulter la lumière ni masquer le paysage. Cette réalisation prouve que les idées les plus simples sont souvent les meilleures. Réduisez le travail de couture au minimum : par exemple, si l'étoffe choisie comporte de jolies lisières, conservez-les au lieu d'effectuer des ourlets.

1 Mesurez la fenêtre que vous souhaitez habiller. Reportez les dimensions relevées sur l'étamine, ajoutez 2,5 cm tout autour, puis coupez. Effectuez un double ourlet sur les quatre côtés du tissu.

2 Dans la toile de coton, coupez deux bandes de 5 cm x 40 cm. Rabattez les quatre côtés sur 1 cm, envers contre envers. Pliez les bandes en deux et surpiquez les trois côtés ouverts.

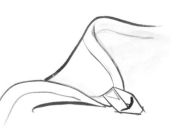

3 Cousez les liens aux deux coins supérieurs du rideau, en les plaçant en diagonale.

4 Confectionnez une boucle avec le biais, puis fixez-la sur l'envers du coin inférieur gauche du rideau.

5 Cousez un bouton à 3,5 cm sous le lien du coin droit. Plantez un clou de chaque côté de la fenêtre et nouez-y les liens. Lorsque vous voulez relever le rideau, glissez la boucle de biais autour du bouton.

Espaces de vie

Se détendre

LA SALLE DE SÉJOUR EST GÉNÉRALEMENT LA PREMIÈRE PIÈCE QUE L'ON VOIT QUAND ON ENTRE DANS UNE MAISON, CELLE QUI VOUS ACCUEILLE. DE PAR CETTE FONCTION COLLECTIVE, ON A UN PEU TENDANCE À LA TRAITER DE FAÇON NEUTRE ET À RÉSERVER LES TOUCHES PERSONNELLES POUR LES LIEUX PLUS INTIMES, COMME LES CHAMBRES À COUCHER. Cette retenue finit par créer une atmosphère rigide, alors qu'un intérieur devrait révéler le quotidien de ses habitants et inviter les visiteurs à le partager. Une salle de séjour accueillante et animée donne une image plaisante chaque fois que l'on en passe la porte, et permet à chacun – hôte ou invité – de se sentir davantage chez lui. Essayez de rompre la barrière qui sépare l'espace privé de l'espace public. Quelques idées simples permettant de changer le décor au fil des saisons suffisent à transformer une maison en un intérieur chaleureux, qui abrite les âmes et pas seulement les corps. Ainsi, j'ai récemment pris conscience que la pièce dans laquelle je me sentais le plus à l'aise chez moi était mon atelier, un local situé au dernier étage, bourré de photographies, de croquis punaisés au mur et d'une collection d'objets sans cesse renouvelés, reflétant mes pensées et mes inspirations du moment. En revanche, mon séjour était plutôt dépouillé. N'y vivant pas véritablement, je le gardais pour des occasions particulières, mais il ne disait pas grand-chose de ma personnalité. J'ai alors décidé de le modifier et de le traiter comme une extension de mon être, en m'y exprimant avec le même naturel que dans mon atelier. Une salle de séjour doit être avant tout cela : un espace de vie.

Je pense que c'est la première vision que l'on a en pénétrant dans une pièce qui campe l'ambiance de celle-ci. Il est donc important de focaliser l'attention sur un élément qui varie en fonction des saisons. Si vous avez la chance de posséder une grande cheminée, elle deviendra immanquablement le point de mire de votre salle de séjour durant l'hiver. Lorsqu'elle n'est pas en état de fonctionner, recréez l'éclat chaleureux du feu de bois en la garnissant de bougies. En été, mettez l'accent sur la lumière naturelle. Remplacez les lourds rideaux hivernaux par des voilages légers, et déplacez les meubles de façon à pouvoir accéder facilement aux fenêtres et à les ouvrir au moindre rayon de soleil.

Même dans un appartement citadin, il est possible de suivre le rythme des saisons. **À gauche** La salle de séjour est divisée par une tenture d'un beau brun profond, qui laissera la place en été à un léger rideau de coton blanc. Un paravent permet de donner plus de présence mais aussi d'intimité au coin-repas. **Page ci-contre, à gauche** De grands rameaux de cognassier en fleur annonce l'arrivée du printemps. **Page ci-contre, à droite, de haut en bas** Quelques torchons rustiques composent une nappe pimpante. Point de mire de l'espace réservé à la détente, le manteau de la cheminée sert à exposer des objets saisonniers. L'âtre, inutilisé à cette époque de l'année, a été fermé à l'aide d'un panneau recouvert de tissu.

Ci-dessus Faciles à changer, les housses de coussin autorisent des motifs audacieux, comme cet imprimé léopard qui réchauffe un fauteuil aux lignes sobres. Ci-dessous Il n'est pas indispensable que les accessoires de table et la vaisselle soient assortis. Ici, une collection éclectique de verres et de bougeoirs est accompagnée d'un élégant bouquet de roses blanches.

Cette alcôve romantique propose une alternative séduisante à l'éternel canapé flanqué de deux fauteuils. Pour l'aménager, il suffit d'accrocher une paire de rideaux à une barre suspendue au plafond, de poser un matelas sur un socle en contre-plaqué, puis de le garnir de coussins. Tous les styles de décor sont alors permis.

Page ci-contre L'hiver est l'époque où l'on habille la maison pour la réchauffer. Coupées dans un somptueux velours vert bouteille, tentures et housses campent un décor sensuel. Un miroir agrandit l'espace tout en réfléchissant la lumière dans l'ensemble de la pièce.

À droite Au printemps, une ambiance plus douce est créée avec des rideaux bleu ciel et un amoncellement léger de linge de lit blanc. La table en fer forgé a cédé la place à une petite desserte de jardin pliante. **Ci-dessous** Les fleurs sont belles à toutes les étapes de leur vie. Ces pivoines qui perdent leurs pétales n'en ont que plus de charme.

Le changement est l'unique constante de la vie. Écoutez vos sens et votre instinct : quand le temps est froid et pluvieux, ils vous dictent de rester chez vous et d'y installer un cocon douillet ; dès qu'un chaud soleil brille, ils vous incitent à sortir ou à ouvrir les fenêtres en grand. Décorez votre maison en utilisant des éléments naturels évoquant la saison. Puis, au-delà de ces symboles, soyez attentif à vos émotions face aux variations de lumière, de couleurs, d'atmosphère spécifiques à chaque époque de l'année, et retranscrivez-les dans votre environnement quotidien.

Votre état d'esprit acuel est certainement différent de celui de l'an passé, voire de la semaine dernière... N'hésitez pas à modifier

En hiver, cette salle de séjour aux murs blancs se pare de tout un jeu d'ombres et de lumières. **Ci-dessus, à gauche** La pièce est réchauffée d'une note exotique amenée par les étoffes turques et afghanes drapées sur le canapé. Un bouquet de roses sombres, la lueur des bougies et le parfum de l'encens soulignent cette atmosphère. **Ci-dessus, au centre** Éparpillés devant l'âtre, des coussins forment un nid douillet. **Ci-dessus** Une pile de lainages, inspirés par les traditions de différents pays, s'avère aussi utile que décorative.

votre intérieur au gré de vos humeurs afin qu'il reste vivant et animé. Décorez-le avec des objets reflétant vos goûts du moment. Un grand tableau posé en permanence sur le manteau de la cheminée gagne une nouvelle fraîcheur à chaque fois que l'on change la collection de cartes postales alignées contre lui. Vos amis seront ravis de découvrir de nouveaux éléments visuels lors de chacune de leurs visites. Entourez-vous de souvenirs rappelant les lieux et les gens qui comptent dans votre existence. Mettez en valeur vos accessoires préférés en variant leur fonction et leur emplacement. Par exemple, une série de cruches émaillées, habituellement rangées à la cuisine, décorera joliment un guéridon.

Durant l'été, la pièce se dépouille et s'ouvre sur l'extérieur. **Ci-dessus, à gauche** Démunie de rideaux, la fenêtre laisse la lumière entrer à flots, et donne l'éclairage suffisant pour encourager la floraison d'un grand pot de gardénias. Le sol est débarrassé de ses tapis afin de révéler la jolie teinte miel du parquet. Drapé d'un jeté estival, le canapé a été placé au centre de la pièce pour mieux bénéficier de l'ensoleillement. **Ci-dessus** Un assortiment de linge de maison blanc et ivoire fournit la parure estivale de la pièce.

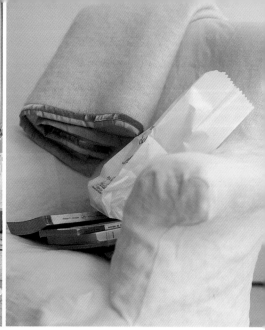

En partant des meubles principaux – qui, dans la salle de séjour, sont généralement : le canapé, les chaises et les fauteuils – puis en progressant vers les détails, élaborez un aménagement simple mais suffisamment modulable pour pouvoir être facilement revu et enrichi en fonction de la saison et de ses atouts.

Le but prioritaire est de créer un espace adapté à votre mode de vie. Qu'ils soient neufs ou d'occasion, il est préférable d'acheter des sièges de bonne qualité, car ce sont eux qui constituent l'ossature de la pièce. Choisissez-les avec soin, en tenant compte de vos goûts et

Ci-dessus, à gauche Lumière, espace et couleurs inspirées par les premières fleurs de l'année donnent à cette pièce une ambiance printanière. **Ci-dessus, au centre** Une housse permet de changer facilement l'allure d'un fauteuil. Des paniers à provisions bon marché font office de rangements mobiles. **Ci-dessus, à droite** Une couverture ordinaire est personnalisée grâce à des rubans en soie et en velours.

Ci-dessous, à gauche Quelques fleurs adoucissent la sobriété de la pièce. **Ci-dessous, au centre** Un parquet blanc et des murs nus reflètent la lumière et accroissent la sensation d'espace. **Ci-dessous, à droite** De la vaisselle blanche se détache joliment sur une simple table à tréteaux jaune. **Page ci-contre** Des vases aux formes variées décorent le manteau de la cheminée comme autant de sculptures.

« Lorsque vous avez deux pains,
vendez-en un pour acheter
une jacinthe qui nourrira
votre âme. »

Poème persan

de vos habitudes. Il se peut que le classique trio, composé d'un canapé et de ses deux fauteuils assortis, ne vous convienne pas et que vous vous sentiez davantage à votre aise avec une collection de bergères et de causeuses dépareillées, ou encore avec des coussins éparpillés autour d'une table basse. Les lits de repos sont très romantiques ; ils présentent également l'avantage de servir de couchage d'appoint pour les invités. Dans tous les cas, la règle d'or consiste à acquérir des sièges simples, suffisamment robustes pour partager longtemps votre vie, et que vous pourrez habiller de housses, de jetés et de coussins au fil des saisons. Il est important que l'ensemble soit solide et facile à nettoyer... N'utilisez que des étoffes prérétrécies, autorisant de fréquents lavages en machine. Si l'entretien de votre intérieur ne vous pose pas de problèmes insolubles, votre décontraction sera contagieuse et tout le monde se sentira bien chez vous !

Une fois les sièges installés, pensez à la table. La table basse est devenu un élément incontournable du style de vie moderne. Elle accueille les bouquets de fleurs et les boissons, et c'est autour d'elle que l'on s'assoit pour discuter. Vous pouvez la remplacer par un long banc placé devant le canapé, garni de magazines ou d'un service à café, et assez robuste pour supporter que l'un ou l'autre y allonge les

jambes : rien dans une maison ne doit être précieux au point que l'on ne puisse mettre les pieds dessus après avoir, bien entendu, retiré ses chaussures ! Marchés aux puces et magasins de mobilier d'occasion regorgent de tables basses. Choisissez celles qui présentent une forme intéressante et qu'il est facile de rafraîchir grâce à une simple couche de peinture. Vous pouvez également vous contenter de poser un plateau entre deux piles de gros livres. L'essentiel est de conserver une certaine flexibilité dans l'aménagement de la pièce.

De nos jours, les salles de séjour ont souvent plusieurs fonctions. La mienne devient un endroit plus chaleureux dès lors que j'accepte

Page ci-contre, à gauche La réunion de plusieurs motifs gais est synonyme d'été et de vacances. **Page ci-contre, à droite** Une fois garni de coussins fleuris et d'un jeté rayé, un vieux fauteuil en cuir est plus doux à la peau nue. **Ci-dessous, à gauche** Dans un pot émaillé, un bouquet de fleurs d'hibiscus éclabousse la pièce de ses couleurs. **Ci-dessous** Gommez la frontière avec l'extérieur en disposant plantes et meubles de jardin devant des portes et des fenêtres laissées ouvertes.

l'idée qu'elle me serve partiellement de bureau. Au lieu de chercher à les dissimuler, les traces de mon activité professionnelle – comme les notes ou les messages punaisés au mur – ajoutent de la vie à la pièce. Le rôle d'une salle de séjour peut être différent le jour et la nuit, mais également varier d'une saison à l'autre. Choisissez des meubles capables d'évoluer avec votre mode de vie. Déplacez-les au fil des saisons. Il est par exemple intéressant de rapprocher le canapé de la cheminée pendant l'hiver, et de créer un décor plus dépouillé durant l'été. Chaises et tables pliantes sont d'utiles auxiliaires de ces métamorphoses, surtout lors de réceptions. Vous pouvez rechercher chez les brocanteurs les merveilleux modèles des années 1930-1940, ou bien employer habilement du joli mobilier de jardin. Les paravents sont aussi très pratiques pour mettre en place des espaces d'intimité, ou pour masquer une zone un peu désordonnée.

Pour les sols, ma préférence va indéniablement aux parquets, qu'ils soient peints, badigeonnés d'une couleur pâle et vieillis, ou simplement teints pour mettre en valeur les veines du bois. Faciles à entretenir, ils s'accordent à tous les styles de décoration, à toutes les atmosphères et à toutes les saisons. En hiver, on peut les réchauffer en disposant dessus de grands tapis que l'on roulera de côté durant l'été, à moins que l'on ne s'en serve comme nappes.

Une subtile transition de couleurs et de matières – entre de légères housses en coton blanc et des modèles plus épais en lin naturel – accompagne le déroulement des saisons.

À l'extrême gauche À côté d'une fenêtre ouverte, un délicat bouquet de tulipes jaunes évoque le printemps.

À gauche Couleurs et matières stimulent le plaisir des sens.

Page ci-contre Tout en conservant la même structure, la pièce se met discrètement au diapason de la saison : les coussins présentent des teintes plus sombres, et les vases se remplissent de feuillages hivernaux.

Ci-dessus Votre garde-robe est un excellent indicateur des variations climatiques : dès que vous remplacez votre gros manteau par un imperméable léger, il est temps de mettre votre maison à l'heure du printemps. **À droite et ci-contre** Soulignez le passage d'une saison à l'autre en utilisant des couleurs claires au printemps, et des teintes profondes et plus sombres en automne. Sculpturaux et toujours élégants, même dans des seaux en fer-blanc, les buis taillés vous accompagnent tout au long de l'année.

À l'extrême droite, en haut Un jeté suffit à réchauffer rapidement une pièce en la parant des couleurs de la saison.

À l'extrême droite, en bas Posée à même le sol, une grande coupe en faïence remplie de noix donne une sensation de généreuse abondance.

Un décor vivant invite le regard
à la découverte et au vagabondage.

Une fois la structure de base installée, il est possible de changer les accessoires au gré de l'humeur et des besoins. Les tissus offrent un moyen parfait d'accorder un intérieur aux atmosphères saisonnières. Les housses de coussin jouent, dans un décor, le même rôle que les bijoux dans une tenue vestimentaire : ce sont des petits détails qui

Ci-dessus, de gauche à droite
Suivez votre imagination : de vieux tissus rayés habillent un fauteuil ; une veste de fanfare décore un mur ; trois baies d'aubépine forment une nature morte originale. **Ci-dessous, de gauche à droite** Jouez sur les

décalages : une chaise habillée de lin fin sert de table basse ; un essuie-mains a été transformé en housse de coussin ; des plats émaillés servent à exposer les souvenirs d'une promenade à la plage.

Page ci-contre Des coussins tricotés créent un nid douillet pour l'hiver.

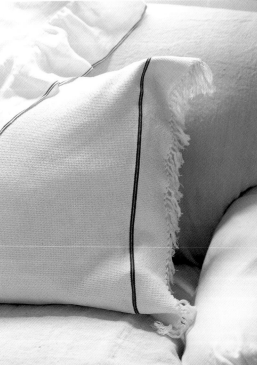

rehaussent l'ensemble. De surcroît, ils présentent l'avantage de ne pas être coûteux. Vous pouvez ainsi vous permettre toutes les audaces dans le choix des matières et des motifs, car vous n'aurez aucun scrupule à les ranger dans un coin ou à les renouveler quand vous en serez provisoirement lassé. Profitez des réductions consenties sur les coupons présentant quelque défaut qu'il est facile de contourner ou, comme moi, chinez de vieilles étoffes chez les brocanteurs.

Il est amusant d'associer des motifs différents. Si, au printemps, les toiles rayées classiques contrastent joliment avec des imprimés fleuris aux teintes passées, elles s'avèrent également parfaites l'hiver pour accompagner de beaux cachemires. Les jetés permettent, eux aussi, de modifier rapidement l'ambiance d'une pièce. Je conserve toujours une collection de couvertures, tapis et couvre-lits destinés à cet usage. N'oubliez pas, non plus, de chercher l'inspiration dans

votre garde-robe. Dès les premiers frimas, je laisse mon étole en velours drapée sur un fauteuil confortable alors que, durant les beaux jours, un châle crocheté décore mon lit de repos. Il n'est pas indispensable de confectionner de véritables housses. Ajustés autour d'une assise de fauteuil ou de canapé, ou bien drapés sur une chaise, quelques mètres de tissu – par exemple, du tweed en hiver et de la toile de Vichy en été – suffisent à évoquer le rythme des saisons.

Page ci-contre, à gauche En automne, à mesure que le temps devient plus gris, introduisez progressivement des étoffes chaudes dans votre maison. Des housses de coussin en lainage donnent la même sensation de confort qu'un vieux chandail. **Page ci-contre, à droite** Inspirez-vous de la riche palette de teintes des feuilles mortes.

Ci-dessus, à gauche Comme ce grand châle frangé couleur chocolat, un jeté réchauffe le décor avec élégance. Des housses en piqué de coton crème constituent une base parfaite pour des changements saisonniers. **Ci-dessus, à droite** Généreuse et accueillante, une large coupe remplie de pommes invite à la gourmandise.

Il n'est pas nécessaire de dissimuler les étoffes saisonnières entre deux utilisations. Soigneusement pliées, empilées et nouées d'une sangle en lin ou d'un ruban de couleur vive, elles constituent des décors attrayants sur un rayonnage de livres, placées à même le sol dans un coin de la pièce,

Accordez de l'espace aux merveilles de la nature

ou encore rangées dans de grandes corbeilles en osier qui serviront de tables basses d'appoint. Ainsi, vous profiterez de leur charme tout au long de l'année et elles feront partie intégrante du décor. Leur présence, discrète mais constante, vous évitera de les oublier. Celle-ci vous invitera, au contraire, à procéder à des métamorphoses régulières, sans lesquelles un intérieur devient rapidement terne et ennuyeux.

Page ci-contre Une véranda offre un espace de vie ouvert sur l'extérieur. **Ci-dessus** Disposez les meubles afin de pouvoir contempler le paysage. Ramenez de vos promenades quelques trouvailles évoquant la saison. **Ci-dessous** Un poêle permet de séjourner dans la véranda pendant l'hiver. De simples herbes aromatiques et une brassée de bûches constituent de merveilleuses natures mortes.

Se réunir et se distraire

La majorité de nos fêtes traditionnelles se célèbrent autour d'un repas. Ces rituels, qui ponctuent de façon importante le déroulement du calendrier, mettent en valeur les spécificités naturelles de chaque époque de l'année. Ils structurent le cours de notre existence en nous maintenant accordés au rythme des saisons. Bien que les rayonnages des supermarchés nous proposent en permanence des denrées hors-saison parce que provenant des quatre coins du monde, la subite abondance d'un fruit ou d'un légume frais à sa période naturelle de mûrissement reste toujours un grand moment de plaisir. La saveur des premières fraises annonce les beaux jours, tandis que les pyramides éclatantes de mandarines, de citrons et de limes accompagnent gaiement la venue de l'hiver. L'espace réservé aux repas est la partie de la maison que vous ouvrez à vos amis, aux êtres qui comptent le plus pour vous. Lieu de rencontres et de conversations, une table doit non seulement être belle mais accueillante. Les aliments, leur présentation et l'ambiance dans laquelle ils sont servis, tout concourt à une certaine idée de l'hospitalité. Inviter quelqu'un à sa table, c'est lui offrir de partager un peu sa vie. La façon dont vous recevez est le reflet de votre personnalité : elle exprime bien plus que le simple fait d'avoir dressé un joli décor.

Tout comme l'atmosphère extérieure évolue
d'une saison à l'autre, l'ambiance d'une pièce
varie subtilement au fil du jour et de l'année.
La table est le véritable cœur de la maison.
Un matin, nous y pleurons devant notre bol
de café ; le lendemain, nous y célébrons une
bonne nouvelle entre amis. À l'instar de la
nature, nous possédons un rythme qui nous
est propre et nos états d'âme connaissent
différentes saisons... Ma table de cuisine le
sait bien, qui a été le témoin de tant de rires,
d'amour, de larmes et de presque toute la
gamme d'émotions imaginables. Qu'il s'agisse
de manger, fêter le début des vacances, faire
les devoirs, nous amuser, cuisiner, bavarder,
nous attarder autour d'un thé, déballer les
provisions, peindre ou régler les factures !
Récurée au savon et polie à la cire d'abeille,
elle peut être maculée de confiture collante
à l'heure du goûter, chargée de cahiers et de
livres d'école l'instant suivant, puis étincelante
de chandelles et prête pour un dîner élégant
un peu plus tard. L'espace autour de la table
doit être aménagé avec souplesse et spontanéité, afin de rester ouvert à la multiplicité
des sentiments qu'abrite une maison.

L'un des meilleurs moyens d'animer une
maison consiste à revenir du marché les bras
chargés de paquets, de vivres et de fleurs. Il y
a quelque chose d'essentiel dans le renouvellement hebdomaire des provisions, dans
l'acte de nourrir sa famille ou de préparer un
repas pour des amis. Ces démarches relèvent
de rituels ancestraux. Elles ne devraient pas

Quelques détails forts accompagnent le déroulement de l'année. Une cheminée désaffectée sert à exposer des décors saisonniers. **Page ci-contre** Sur le mur, une généreuse brassée de gui évoque l'hiver. L'âtre est garni de gros cierges et de branchages, récoltés lors d'une promenade dominicale. De coquettes housses de chaise contrastent joliment avec le dépouillement de la pièce. **À gauche** Un grand tableau s'enrichit d'une série de croquis esquissés au fil des mois d'été. Dans la cheminée, un bateau d'enfant rappelle les vacances d'autrefois. **Ci-dessous** Disposées sur l'appui de la fenêtre et accrochées aux murs blancs de la cour, quelques jardinières de marguerites rapprochent la nature de la maison et embellissent la vue.

être des corvées mais des preuves d'amour. Chaque saison amène de nouvelles couleurs. Ma table de cuisine est devenue l'endroit privilégié pour de petites compositions naturelles, parfois aussi simples qu'une coupe de mandarines ou qu'une cruche débordant de fleurs champêtres. Peut-être ces natures mortes sont-elles à peine remarquées ; pourtant, j'espère toujours qu'elles inviteront ceux qui passent à s'arrêter et à les apprécier, même brièvement. Ce sont des gestes qui ne coûtent rien, mais qui sont le reflet d'un instant de beauté. Je souhaite que ces attentions témoignent de mon affection pour mes proches, de mon désir de leur offrir une pause dans une journée agitée et un peu de l'authenticité de la nature.

Les festivités saisonnières fournissent d'excellentes opportunités de composer des décors plus élaborés. Au-delà des grandes occasions traditionnelles comme Noël ou Pâques, inspirez-vous des cultures étrangères pour organiser des repas « à thème ». Par exemple, au printemps, les Japonais donnent des dîners sous les arbres afin d'admirer la chute des fleurs. Vous pouvez suggérer cette ambiance en ornant la pièce de grands vases de rameaux de cerisier fleuris. Célébrez le solstice d'été à la manière des Suédois : confectionnez des guirlandes de marguerites, demandez à tous les convives de s'habiller en blanc, et servez-leur de la vodka glacée accompagnée de fleurs comestibles, comme des capucines aux pétales éclatants et poivrés. En automne, imitez l'ancienne coutume anglaise qui consiste à fêter la fin des moissons. Pour créer une atmosphère originale et décontractée, recouvrez une grande table basse d'une grosse toile ou d'un tapis, entourez-la de tous les coussins que vous pourrez réunir dans la maison, disposez des bougies partout où cela est possible, n'allumez aucun éclairage électrique, et servez une bonne soupe rustique dans une citrouille évidée !

Judicieusement choisis, une nappe et un centre de table suffisent à suggérer l'atmosphère de la saison en cours. Privilégiez les objets et les matériaux naturels. Il existe des motifs porteurs d'une grande force d'évocation. C'est par exemple le cas des carreaux vichy qui, accompagnés d'un bouquet de jonquilles, campent instantanément

En été, une petite cour est un endroit
parfait pour des repas décontractés.
Page ci-contre, en haut Ce lustre,
qui réchauffe la maison durant tout
l'hiver, a été placé dehors pour servir
de décor à quelques pots de fleurs.
Page ci-contre, en bas Un modeste
gobelet en verre est garni d'un bouquet
dense de petites fleurs volées dans
les jardinières. **Ci-contre** Des étoffes
aux couleurs de terre invitent aux
délices d'un après-midi paresseux.
Ci-dessus Kilims et housses de
coussin en toile reprennent les teintes
profondes de la végétation.

Ci-dessus Une habile association de formes et de matières compose une nature morte très intéressante.
À droite et page ci-contre Le simple fait d'ajouter ou de retirer des tissus modifie subtilement l'atmosphère d'une pièce. Même le plus petit changement – comme les quelques objets disposés sur le manteau de la cheminée – suffit à attirer le regard et à animer la maison. **Page ci-contre, à l'extrême droite** Cette blanche composition estivale réunit des objets aussi hétéroclites qu'une bougie, des bouquets de fleurs cueillies au jardin et un collier.

Se réunir et se distraire

une ambiance printanière fraîche et joyeuse. Selon la façon dont on les assortit, certaines étoffes conviennent à plusieurs saisons. Ainsi, une nappe en broderie blanche utilisée seule donne, en été, une sensation de légèreté lumineuse mais, en automne, elle se marie parfaitement à une toile de lin rustique dont elle adoucit la texture. N'hésitez pas à réunir des chaises dépareillées, chinées dans les marchés aux puces. Si vous le voulez, créez une unité en les peignant toutes de la même couleur, ou bien en les habillant de tissus cordonnés. Une jolie housse suffit à rendre élégante la plus ordinaire des chaises.

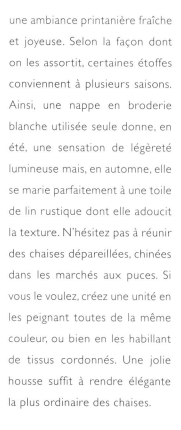

Rêver
et se ressourcer

NOTRE CHAMBRE EST LE LIEU DE LA MAISON QUI NOUS EST LE PLUS PERSONNEL. CACHÉE AUX REGARDS EXTÉRIEURS, ELLE RECÈLE NOS SENTIMENTS ET NOS OBJETS INTIMES. C'EST UN REFUGE AU CŒUR DU REFUGE, L'ENDROIT LE PLUS SÉCURISANT D'UNE MAISON RASSURANTE. C'EST LÀ OÙ NOUS POUVONS LAISSER LIBRE COURS À NOS RÊVES, À NOTRE IMAGINATION ET À NOTRE CRÉATIVITÉ. Une chambre à coucher doit préserver l'intimité de son propriétaire et lui permettre d'exprimer sa personnalité profonde. Elle est l'endroit où l'on se retire pour se ressourcer, pour être seul avec ses pensées. Plus que toute autre activité humaine, le sommeil subit l'influence des cycles naturels. En variant au fil des saisons, l'équilibre entre la durée du jour et celle de la nuit affecte notre rythme cardiaque. C'est pour cette raison que nous éprouvons des difficultés à nous lever lorsque le réveil sonne en hiver, alors que la lumière du soleil nous tire doucement du sommeil durant l'été. Le secret de la chambre autorise un certain abandon. On sait que les enfants sont plus réceptifs juste avant qu'ils ne s'endorment. Il vous est certainement arrivé de rester à bavarder dans le noir avec un ami. La sensation de sécurité, procurée par une pièce apaisante et par l'obscurité, invite à supprimer les barrières que l'on érige habituellement autour de soi pour se défendre du monde extérieur et à laisser son esprit vagabonder en toute liberté.

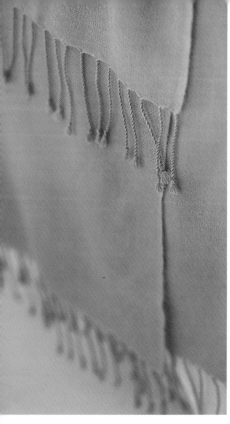

Un assortiment de jetés et de housses de coussin permet de modifier aisément l'allure d'un lit au fil des saisons. **Ci-dessus** Des étoffes aux couleurs de sorbets évoquent les fruits de l'été. **À droite** Une moustiquaire en voilage métamorphose un lit ordinaire en un romantique refuge estival.
Page ci-contre, à gauche Quelques jetés blancs offrent une base idéale pour composer des décors saisonniers. **Page ci-contre, à droite et en haut** En hiver, un pyjama en cachemire représente le summum du confort. **Page ci-contre, à droite et en bas** Posé sur la table de chevet, un petit bouquet de fleurs souligne la palette de teintes employées.

La chambre à coucher est la pièce où vous reposez à la fois votre corps et votre esprit. Afin de créer une atmosphère propice à cette détente, décorez-la d'objets qui vous rendent heureux. Abandonnez-vous aux plaisirs des étoffes sensuelles, des senteurs apaisantes, des couleurs harmonieuses et des musiques expressives. La lumière est essentielle à la qualité de l'ambiance. L'idéal est de commander le dispositif électrique à partir d'un variateur ; ce système permet de passer tour à tour d'un éclairage suffisamment fort pour se maquiller à une pénombre romantique et sereine. Soyez à l'écoute de votre corps et répondez à ses désirs de confort. Pour oublier la grisaille hivernale, il suffit d'un grand couvre-lit tricoté dans la plus moelleuse des laines et d'une tige d'amaryllis s'épanouissant sur la tablette du radiateur. En été, un léger dessus-de-lit blanc et un parfum de lavande s'introduisant par la fenêtre ouverte vous délasseront après une longue journée passée au soleil.

J'aime accompagner l'approche de chaque saison en modifiant l'organisation de mes armoires afin de rendre plus accessibles les lainages d'hiver, les cotons printaniers ou les lins estivaux. J'agis de même avec ma chambre à coucher. Tout comme ma garde-robe, elle contient des éléments de base – un assortiment de beaux tissus

blancs qui composent une ambiance reposante – sur lesquels je dispose motifs et matières au gré de mon humeur. Il est révolu le temps où nous nous sentions obligés d'acheter tous nos draps et nos taies de la même couleur ! Offrez une garde-robe à votre lit. Habillez-le d'étoffes superposées à mesure que le temps se rafraîchit, puis allégez-le peu à peu dès que les beaux jours reviennent.

La façon la plus simple de modifier l'atmosphère d'une chambre est de changer la parure du lit. Une jolie housse de couette suffit à camper un nouveau décor en un clin d'œil. Il s'avère souvent difficile de trouver, dans le commerce, des modèles originaux bon marché.

Dans le cas d'une pièce entièrement blanche, ce sont les matières qui suggèrent le passage des saisons. **Page ci-contre, à gauche** De nos jours, disposer de suffisamment de place est devenu un véritable luxe. La décoration blanche et dépouillée de cette pièce accentue la sensation d'espace, crée une ambiance sereine. **Page ci-contre, à droite** Si les pots métalliques et le seau de fleuriste en fer-blanc ne sont pas a priori des accessoires décoratifs, une fois garnis

de fleurs parfumées, ils campent un décor aux contrastes intéressants. **Ci-dessus, à gauche** Le décor de cette chambre ne change pas de façon importante d'une saison à l'autre, mais une pile de jetés et de couvre-lits a été préparée pour les nuits fraîches, que d'immenses oreillers rendront encore plus confortables. **Ci-dessus, à droite** Un riche jeu de matières – comme une couverture en fausse fourrure écrue mariée à un jeté en cachemire blanc – réchauffe la sobriété de la pièce.

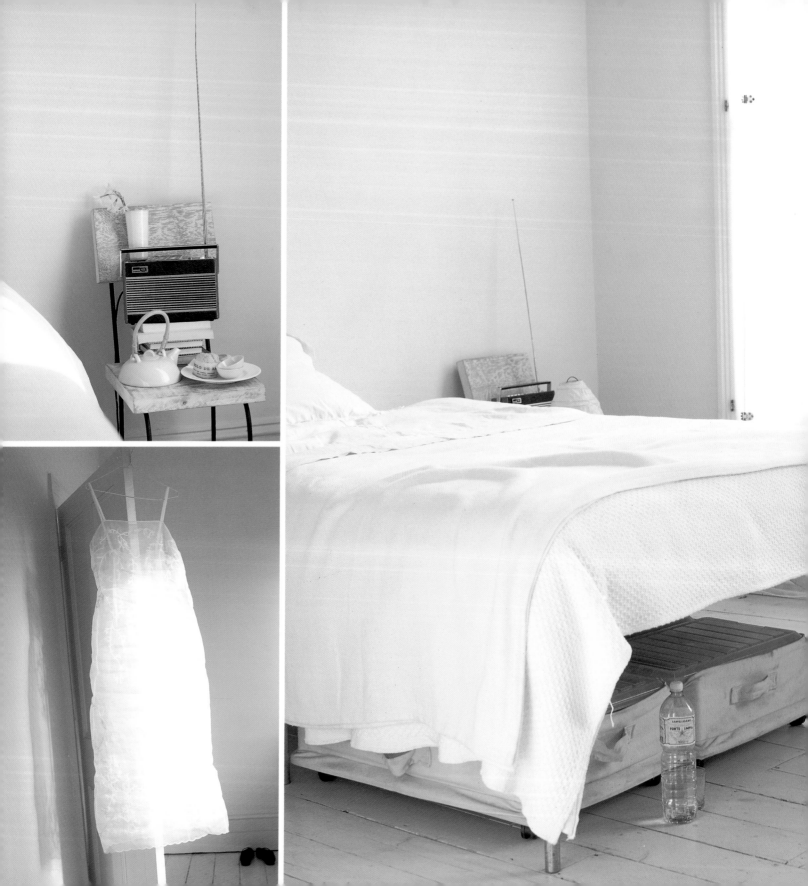

Page ci-contre, en haut Une touche légère suffit à évoquer la saison en cours, comme ce narcisse qui annonce la venue du printemps. **Page ci-contre, en bas** Provisoirement accrochée à un cintre métallique, une robe en tulle joue les natures mortes en créant un jeu d'ombres et de lumières. **Ci-contre** Un assortiment de jetés blancs est facile à vivre en été, mais s'accorde bien d'un couvre-lit en lainage épais, une fois l'hiver venu.

Fort heureusement, vous pouvez facilement confectionner une housse en cousant deux draps ensemble puis en les encadrant d'un volant plat, comme sur les taies d'oreiller, ou encore en réalisant un joli patchwork avec des chutes de tissu. Il est également possible de personnaliser du linge de lit ordinaire et uni en le bordant de quelques centimètres de coton piqué, de rubans judicieusement choisis, ou en cousant dessus de beaux boutons anciens. Le secret d'un décor réussi réside dans le jeu des contrastes. Si, par exemple, vous optez pour un amoncellement de dentelles et de ruchés romantiques, soulignez-le en laissant le reste de la pièce très dépouillé.

Fouillez bien dans votre garde-robe, non seulement pour vous aider à confirmer votre

Offrez à votre lit une garde-robe susceptible d'évoluer au fil des saisons.

style, mais aussi pour trouver des éléments décoratifs. Plutôt que de rester enfermés dans un coffret, vos colliers préférés peuvent très bien orner un bouton de porte... ou encore servir d'embrasse. De la même façon, un châle ou une étole simplement suspendus à un clou suffisent à animer et à réchauffer un mur nu. Disposez vos bijoux, vos foulards et autres accessoires vestimentaires dans des corbeilles soigneusement alignées sur un banc. Ainsi, vous y aurez accès en permanence ; ils décoreront la pièce et vous en profiterez tout le temps, y compris les jours où vous ne les portez pas. Pourquoi aller acheter de nouveaux objets coûteux quand vos armoires sont remplies de belles choses que vous aimez tant ?

Pénétrer dans cette chambre, c'est un peu comme se mettre en vacances.

Ci-dessous, de gauche à droite Des meubles chinés aux puces ont tous été peints en blanc, afin de créer une unité. Quelques touches de couleur campent une atmosphère estivale.

À droite Mieux que des accessoires sophistiqués, les objets de la vie quotidienne animent une chambre en évoquant la saison en cours.

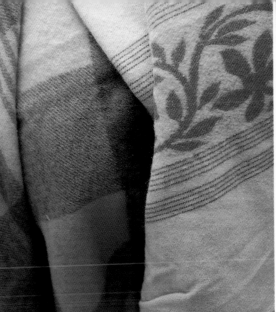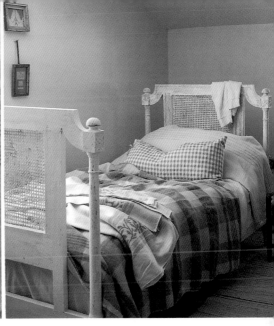

L'un des meilleurs moments de la journée, c'est lorsque mon mari et moi sommes tirés du sommeil aux premières heures du matin par le bruit de petits pieds résonnant sur le plancher de la chambre : nos deux petits garçons grimpent dans notre lit et nous nous réveillons doucement tous ensemble. Parfois, nous restons assis sans parler ; à d'autres occasions, la pièce retentit de rires et les tasses de thé valsent sur le lit. J'aime l'idée que celui-ci devienne chaque matin un lieu de contacts, un port d'attache rassurant depuis lequel chacun des membres de la famille partira, quelques instants après, vers le

Le style scandinave de cette chambre à coucher s'adapte à toutes les saisons. La fraîcheur des tons bleus évoque aussi bien un froid paysage d'hiver qu'une promenade estivale au bord de la plage. **Page ci-contre** Des flocons en papier découpé accompagnent la neige qui tombe au dehors. **Ci-dessus, de gauche à droite** Le premier aperçu que l'on a d'une pièce, lorsqu'on en passe la porte, en fixe l'ambiance générale. En hiver, le lit est réchauffé

par de gros oreillers et par de vieilles couvertures dont les couleurs ont gagné un merveilleux fondu au fil des lavages. **Ci-dessous, de gauche à droite** Faites maison, ces housses de coussin sont tout simplement fermées par des rubans. En été, les couvertures sont remplacées par un couvre-lit en toile rayée, qui transforme cette chambre en un havre reposant. Des sandales de corde tressée amènent à l'intérieur un peu de l'atmosphère de la plage.

vaste monde extérieur. C'est lors de ces minutes précieuses, dans l'intimité de ce lit, que je ressens le plus profondément le sentiment de sécurité que peut apporter une maison.

Ce sont les petits gestes – et la signification qu'ils ont à nos yeux – qui font de notre habitation un intérieur chaleureux. Une simple table de chevet en dit long sur notre façon de vivre... Décorez-la de livres qui vous font rêver, d'une bougie parfumée et d'une photographie ou d'une carte postale à laquelle vous êtes particulièrement attaché. Disposé dans une chambre, le plus modeste des bouquets nous réconforte, peut-être parce qu'il nous est exclusivement destiné.

Il y a quelques années, mon époux m'a offert un carnet de croquis réunissant une série de paysages qu'il avait peints à l'aquarelle. Je le conserve sur le manteau de la cheminée de ma chambre, à côté d'un miroir, et j'en tourne les pages au fil de mon humeur et des saisons. En été, mon dessin préféré est un ciel de nuages éthérés ; l'hiver, j'aime les images plus rustiques qui font ressortir la lourde terre ocre rouge des champs anglais. Non seulement cet objet est un inestimable cadeau que je ne me lasse pas de contempler, mais il me permet aussi, chaque matin, de savourer un peu de la beauté de la nature avant de me consacrer à mes occupations.

Une salle de bains est un espace aussi intime et personnel qu'une chambre à coucher. À ce titre, elle doit être traitée avec le même soin et la même recherche de confort. Bien que l'on pense rarement à y placer des fleurs, quelques brins d'eucalyptus ou un petit bouquet de pois de senteur disposés à côté du lavabo nous offrent leur parfum depuis le matin jusqu'à l'heure du coucher. Les salles de bains se prêtent bien à des ambiances estivales, car la présence de l'eau appelle naturellement des décors à dominante bleue ou verte. Mais, durant hiver, il est aisé de les transformer en boudoirs douillets en les garnissant de serviettes moelleuses et de bougies parfumées.

C'est l'agencement spontané d'objets simples qui fait le charme de cette chambre, tout au long de l'année.

Page ci-contre D'immenses mouchoirs campagnards ont été cousus pour confectionner des housses de coussins aux couleurs vives. Coupées dans de gros draps blancs, les taies d'oreiller sont ornées d'anciens napperons en dentelle. Une cruche en faïence sert de vase à des géraniums, qui résistent longtemps une fois coupés. Sur la table de chevet, un sous-verre conserve

à l'abri quelques pétales de roses.

Ci-dessus Une couronne en brindilles de pommier symbolise le cycle annuel. Un impertinent mélange de motifs égaie la pièce. Cette couverture a été réalisée en surjetant de grands carrés de lainage crème. Le joyeux désordre de la table de chevet reflète les activités hivernales. Des croquis sont fixés au mur avec du ruban adhésif afin de pouvoir être fréquemment renouvelés. Accrochés au bouton de la porte, des sacs à linge ont été fabriqués avec de vieux tissus.

Cette page Il arrive que certaines pièces puissent rester inchangées tout au long de l'année. C'est le cas de cette petite salle de bains, inondée de lumière quelle que soit la saison. Un léger brise-bise procure l'intimité suffisante sans occulter les rayons du soleil. Confectionné dans un voile de coton brodé, doublé de plastique, le rideau de la baignoire est accroché avec de vieilles pinces parisiennes.
Page ci-contre En hiver, la froidure nous invite à nous dorloter davantage. La lueur des bougies font du bain un précieux moment de détente.

Adresses

Meubles et accessoires pour la maison

ANTIQUITÉS SAINT-ROMAIN
4/6, rue Saint-Romain
76000 Rouen
Tables à l'ancienne d'origine

ATTIKA ESPACE
24, rue Berthollet
75005 Paris
Cheminées scandinaves, poêles, accessoires chaleureux

AU CONFORT RUSTIQUE
180-195, rue Lafayette
75010 Paris
3 magasins
Mobilier en merisier, chêne, noyer, acajou, etc.

AUTOUR DU FEU
Tél. 01 46 70 27 08
Accessoires pour cheminée, fourneaux sur mesure

CATHERINE MEMMI
33-34, rue Saint-Sulpice
75006 Paris
Vaisselle originale, linge de table et belles parures de lit

CONRAN SHOP
117, rue du Bac
75007 Paris
Accessoires variés pour la maison

DU MATIN AU SOIR
Tél. 0 802 024 024
Meubles, objets, accessoires à des prix très doux

L'EXEMPLAIRE
Tél. 08 36 67 75 10
Tout un art de vivre : table roulante, barbecue, parasol

FESTIVAL DU MEUBLE
17, rue de Rivoli, 75004 Paris
Une gamme de meubles pour tous les goûts

HABITAT
8, rue du Pont-Neuf
75001 Paris
Meubles et accessoires de tous styles

IKEA
Nombreux magasins dont
Paris-Évry, Paris-Villiers,
Paris-Plaisir, Paris-Nord-II
Mobilier, tissus, accessoires variés pour la maison

INTÉRIEUR SCANDINAVE
16, avenue Hoche, 75008 Paris
Meubles et accessoires de style nordique

LE MEUBLE ARTISANAL
5, rue d'Argenson, 75008 Paris
Meubles régionaux

MEUBLES D'ART SCULPTÉS
45, rue Crozatier, 75012 Paris
Pour les amateurs d'art

MOBILIER DÉCORATION
162, rue Saint-Maur
75011 Paris
Mezzanines, meubles en pin massif

LE MONDE SAUVAGE
20, rue Pierre-Lescot
75001 Paris
Meubles des quatre coins du monde

PATIO MEUBLE ARTISANAL
20, rue Pierre-Lescot
75001 Paris
Mobilier d'art

PIER IMPORT
122, rue de Rivoli, 75001 Paris
Des meubles simples, au goût du jour ou à l'ancienne

ROTIN MEUBLES
50, rue de Montreuil, 75011 Paris
Des meubles légers qui s'accordent avec tous les styles

Tissus, tapis, revêtements et papiers peints

AGIER MARCEAU
26, rue des Maraîchers
75020 Paris
Tentures murales et rideaux sur mesure

ART ET DÉCORATION
37 bis, rue de Montreuil
75011 Paris
Pour mettre en valeur votre intérieur

LES ARTISANS DU TAPIS
50, rue de l'Assomption
75016 Paris
Tapis artisanaux

ATELIERS JEAN DANIEL
Quai du Nord, 76502 Elbeuf
Mieux vivre dans l'ambiance d'autrefois

BESSON
32, rue Bonaparte, 75006 Paris
Tissus, décoration, papiers peints

LA BOUTIQUE SCANDINAVE
99, rue de Rivoli, 75001 Paris
Tissus et accessoires

CARLOTTI DESIGN
73, boulevard Beaumarchais
75003 Paris
Papiers peints, moquettes, parquets

CARRELAGES DU MARAIS
46, rue Vieille-du-Temple
75004 Paris
Le renouveau de la tradition : grès, terre cuite, marbres vieillis, faïence

CHARLES DELON
RN 113, 34740 Vendargues
Les matériaux d'autrefois pour vos décors d'aujourd'hui

CHEZ DENTELLES
16, rue Rambuteau
75003 Paris
Dentelles en tout genre

LE COIN DES TISSUS
6, rue Charles-Nodier
75018 Paris
Pour une décoration réussie

COLEFAX & FOWLER
19, rue du Mail
75002 Paris
Tissages et papiers peints

COMOGLIO
22, rue Jacob, 75006 Paris
Tél. 01 43 54 65 86
Tissus, papiers peints

CÔTÉ HACIENDA
14, rue de Birague, 75004 Paris
Décoration, carrelages faits main

COTTAGE COMPAGNY
1, avenue de la Pommeraie
92210 Saint-Cloud
Menuiserie, barrières de jardin ou de véranda

CRÉATIONS BAUMANN
48, rue de Grenelle
75007 Paris
Tissus d'ameublement, voilages, tissus de siège

DÉCOR TAPIS
131, rue Lecourbe, 75015 Paris
Des tapis pour tous les goûts

DESIGNER'S GUILD
10, rue Saint-Nicolas
75012 Paris
Tissus décoratifs, accessoires

DREYFUS TISSUS
2, rue Charles-Nodier
75018 Paris
Soieries, voilages, lainages

L'ESSENTIEL
Tél. 01 49 88 73 60
Tentures murales, rideaux,
voilages, jetés de lit

ÉTAMINE
63, rue du Bac, 75007 Paris
Tissus, papiers peints

FESTIVAL TISSUS
10, rue d'Orsel
75018 Paris
Un grand choix de tissus

HELLINE
Tél. 03 88 77 85 85
Tout pour la maison :
tapis, rideaux, nappes

HIT CARRELAGE
71, boulevard de Grenelle
75015 Paris
Marbre, carrelage, terre cuite,
la belle décoration à petits prix

LIGHT & MOON
Tél. 01 45 20 60 02
Tapis en laine tuftés main

MANUEL CANOVAS
30, avenue Georges-V
75008 Paris
Tissus, papiers peints

MUR ET SOL
55, rue Claude-Decaen
75012 Paris
Toutes sortes de revêtements
pour vos murs et vos sols

NOBILIS
29, rue Bonaparte
75006 Paris
Tissus, papiers peints

OUVRAGE DÉCORATION
39, rue de Verneuil, 75007 Paris
Dallages anciens, boiserie

PIERRE FREY
5, rue Jacob, 75006 Paris
Tissus, décoration

SANDERSON & SONS
104, avenue Aristide-Briand
93152 Blanc-Mesnil
Papiers peints imprimés à la main

SOL AZUR
22, rue de Châteaudun
75009 Paris
Des idées pour votre intérieur

TEXTILES TAPIS
86, rue Saint-Denis, 75001 Paris
Tapis des quatre coins du monde

TISSUS ET DÉCORATION
10, rue Félix-Ziem, 75018 Paris
Jeux de matières et de couleurs
pour votre intérieur

VIEILLES DENTELLES
211, rue Saint-Honoré
75001 Paris
Dentelles anciennes

Perles, papiers, rubans et boutons

LA BOÎTE À PERLES
194, rue Saint-Denis
75002 Paris
Perles rocaille, boutons, paillettes

LA BOUTIQUE À BOUTONS
110, rue de Rennes
75006 Paris
Des boutons en tout genre

LA MALLE AUX BOUTONS
57, rue de Bretagne, 75003 Paris
Les boutons dont vous rêvez

MOKUBA
18, rue Montmartre, 75001 Paris
Rubans et galons de toute sorte

PAPIER PLUS
9, rue du Pont-Louis-Philippe
75004 Paris
Papiers artisanaux et beaux-arts

Fournitures peinture et beaux-arts

ADAM
11, boulevard Edgar-Quinet
75014 Paris
Pigments, produits pour dorure,
gesso, vernis...

ATELIER CONSEIL
12, rue de la Monnaie
59800 Lille
Produits pour l'entretien
du bois et des métaux

AURO PEINTURES NATURELLES
22 bis, avenue Jules-Ferry
92240 Malakoff
Entretien des bois, enduits à base
de produits naturels

BALLOCH
145, rue des Pyrénées
75020 Paris
Préparation de peintures
sur commande

BERTY
49, rue Claude-Bernard
75005 Paris
Matériel pour arts graphiques

CLÉTON
41, rue Saint-Sabin, 75011 Paris
Produits pour la peinture décorative

COLORINE
90, rue de Lourmel, 75015 Paris
Matériel pour le peintre-décorateur

L'ENTRETEMPS
Sous-sol du Bon Marché
22, rue de Sèvres, 75007 Paris
Produits pour l'art et l'artisanat

LES FRÈRES NORDIN
215, rue du
Faubourg-Saint-Antoine
75011 Paris
Produits à patiner, céruser, vernir,
dorer, argenter, polir...

GRAPHIGRO
133, rue de Rennes, 75006 Paris
Fournitures pour beaux-arts

HMB
8, rue de Prague, 75012 Paris
Peintures, produits pour ébénisterie,
colles, vernis, glacis...

LAVERDURE & FILS
58, rue Traversière, 75012 Paris
Pigments, produits et outillage
pour peintures à l'ancienne

PRODUITS D'ANTAN
10, rue Saint-Bernard
75011 Paris
Produits à l'ancienne pour marbre,
bois, cuivre, étain, bronze, etc.

ROUGIER ET PLÉ
13-15, boulevard
des Filles-du-Calvaire
75003 Paris
Fournitures pour arts graphiques

SENNELIER
4 bis, rue
de la Grande-Chaumière
75006 Paris
Matériel pour amateurs
et professionnels

VAN DEN BROUCKE & CIE
24, rue du Général-Guilhem
75011 Paris
Peintures pour sols et murs

Remerciements de l'auteur

Je remercie toutes les personnes qui ont accepté
de participer à cet ouvrage :

Victoria Bailey pour son esprit créatif ;
Angela Miller pour son soutien inconditionnel ;
Lisa Hoss Panitz pour son enthousiasme ;
Sian Parkhouse pour son dévouement ;
Jacqui Small pour son intéressante vision des choses ;
James Merrell pour son regard attentif.

Merci, bien sûr, à toute l'équipe de Ryland Peters & Small.

Un grand merci également à tous ceux qui nous ont permis
de photographier leur maison et de nous en inspirer :
Ann Shore, K. Russell Glover et Angela Miller,
Tom Fallon, Sig Bergamin, Gabriele Sanders,
Katsuji Asada, Janet et Hiroshi Kazo, Janie Jackson,
Barbara Davis et sa famille, Liz Dougherty Pierce.

Enfin, un merci particulier à Dave, Josh et Ben...
pour leur soutien en toute occasion.

Les éditeurs tiennent à remercier Janie Jackson, styliste et créatrice, dont
le travail est présenté pages 86-87, page 94 en haut, et pages 114 à 117 ;
Barbara et William Davis, créateurs exerçant dans l'État de New York
(tél. 607-264-3673), dont le travail est photographié page 4 au centre,
page 34 à gauche, page 41 en haut à droite et en bas à droite, page 78,
page 100 et pages 120-121.

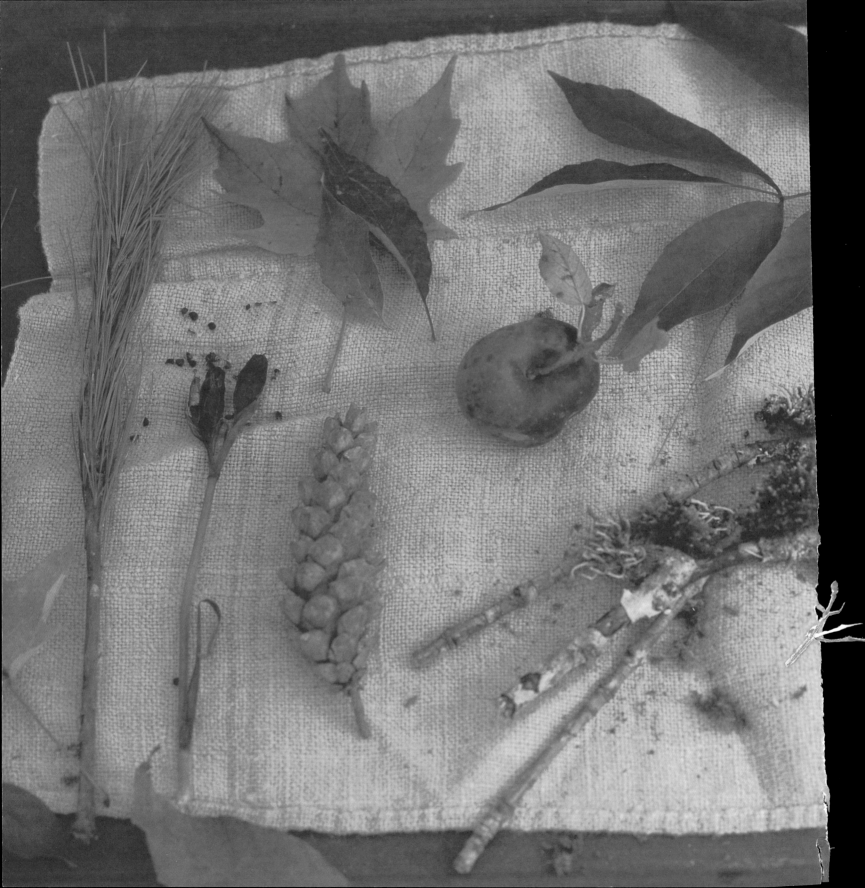